Hockney's Pictures

热爱生活 大卫·霍克尼作品集

含325幅插图

浙江人民美术出版社

感谢格雷戈里·埃文斯和戴维·格拉夫斯为本书的出版做出的贡献。

Published by arrangement with Thames & Hudson, London,
Hockney's Pictures © 2004 David Hockney
Works by David Hockney © 2004 David Hockney
This edition first published in China in 2018 by Zhejiang People's Fine Arts
Publishing House, Zhejiang Province
Chinese edition © 2018 Zhejiang People's Fine Arts Publishing House

图书在版编目（CIP）数据

热爱生活：大卫·霍克尼作品集 ／（英）大卫·霍
克尼著；周渝，庄婉仪译 . —— 杭州：浙江人民美术出
版社，2018.6（2022.4重印）
　ISBN 978-7-5340-6602-3

　Ⅰ．①热… Ⅱ．①大… ②周… ③庄… Ⅲ．①艺术－
作品综合集－英国－现代 Ⅳ．① J156.11

　中国版本图书馆 CIP 数据核字 (2018) 第 052428 号

图字：11-2018-131 号

著　　者：[英] 大卫·霍克尼
译　　者：周　渝　庄婉仪
责任编辑：李　芳
责任印制：陈柏荣

热爱生活——大卫·霍克尼作品集

出版发行　浙江人民美术出版社
地　　址　杭州市体育场路 347 号
经　　销　全国各地新华书店
制　　版　中华商务联合印刷（广东）有限公司
印　　刷　中华商务联合印刷（广东）有限公司
版　　次　2018 年 6 月第 1 版
印　　次　2022 年 4 月第 3 次印刷
开　　本　965mm×1004mm　1/16
印　　张　23
字　　数　135 千字
书　　号　ISBN 978-7-5340-6602-3
定　　价　220.00 元

如发现印刷装订质量问题，影响阅读，请与出版社市场营销中心联系调换。

第一页：《仙人掌花园 Ⅲ》，2003年

第二页：《静物画，孟买泰姬陵酒店》，1977年

目录

《纸花和黑色墨水》，1971年

引言: 用新视角爱世界

"人们不会真的对图画感兴趣，或是去思考它们是怎样绘制而成。但是我会，这正是我投入时间去做的事情。从某种意义上来说，他们对这些图画是具有破坏性的，我完全清楚这一点。不过，我从不奢望所有的作品都能立刻被人们欣赏。"

根据法国诗人、小说家和艺术经纪人让·弗雷蒙（Jean Frémon）的观察，大卫·霍克尼（David Hockney）的故事是一种激情：观看的激情，讲述的激情，想象的激情。除了这三种激情之外，还需要加上第四种激情：生活的激情。霍克尼最喜欢说的一句话就是："热爱生活！"45年以来，他的艺术一直享誉世界，正因他的艺术是对鲜活生命的颂扬。霍克尼的作品在描绘亲朋好友和家人时，是温柔的；描绘慵懒惬意的泳池时光时，是顽皮的；描绘美国大峡谷的宏伟景象时，是令人惊叹的。他的所有作品都在表达这些事物存在于世的意义，欣赏它，感受它，然后爱上它。对霍克尼而言，图像是传达这种感觉的最佳媒介，他终其一生都在不断探索如何用更具活力的方法来表现它们。

这是一本画册。它通过霍克尼的画作以及一些说明文字，追述画家毕生对观看和描绘方法所进行的实验。这绝不是一个综合记述，也不只是一个简单叙述。霍克尼的作品中隐含了许多线索。各种各样的主题和题材，随着理解的不断深入并使用不同的媒介，被不定期地再次加以关注与重新探索。本书正是在这些主题的情境之下对其艺术展开探讨的。

第一章《描绘问题》，着眼于画家所面临的一些图像问题，也是霍克尼从创作一开始就需要处理的问题。三维世界随着时间变化而变化，并且被我们主观赋予色彩，那么如何在平面上用静止的图像将其描绘出来？这当然是任何画家都需要面对的中心问题，也是贯穿全书所隐含的艺术主题。本章重点介绍了一些作品，这些作品针对这一问题的诸多变化加以更明确的检验。

第二章《寂静生活》，考察了艺术家与自己内心世界的交流，以及他对身边最亲近的人所处世界的观察。第三章《肖像》，朋友、家人甚至艺术家本人都是本章仔细观察研究的主题。

最后一章《空间与光线》，是一段寻找这些因素的旅程，这对霍克尼而言，无论是作为一个艺术家还是作为一个人，都意义非凡。从19世纪50年代烟雾弥漫的布拉德福德开始，他的足迹遍布世界各处，往南在埃及、法国和西班牙工作过；往西去过美国，尤其是加利福尼亚州和美国西部；往东去过日本和中国；往北去了挪威和冰岛，领略极昼景色，每一次他都能捕捉到所到之处的风景和感觉。在晚年，他多次回到家乡约克郡，重温童年记忆里的风景和美好回忆。

每一个章节都被细分为若干部分，每一页的小标题里对此都已指明。在每一章的开始，都会更详细地对这些部分加以描述。除了这些简要的介绍以及这位艺术家的一些语录之外，图片可以自己说话，向我们展示霍克尼所见与所爱的世界。

描绘问题

"鉴于描绘以及描绘的欲望是人性的一部分，那么我们该怎么做呢？对于这样那样的描绘，我们应当使用什么方法，又做出怎样的假设？"

"《柯尔比（仿荷加斯）。有用的知识》是我对荷加斯《浪子生涯》（*The Rake's Progress*）歌剧集的研究成果。我的灵感来源于荷加斯的一幅讽刺性卷首插图，其为18世纪的一篇论透视的论文所作。这篇论文是由荷加斯的朋友乔舒亚·柯尔比（Joshua Kirby）发表的，我在创作时记错了他的名字。这幅画是关于空间的，如何利用空间或创造空间，如何不拘泥于字面意义，以不同的方式描绘绘画空间。"

《柯尔比（仿荷加斯）。有用的知识》，1975年

你会如何表现一个变化的三维世界，我们在其中运动又随之而动？你会如何在平面上用静止的图像实现这一目的？我们如何看这个世界？我们如何在脑海中为自己呈现这个世界？艺术家们又如何将内在表征传达给其他人？

图像首先是图像，然后才是其他事物的图像，或表示其他内容的图像，图像的制作方式影响了其他图像。本章开篇"观看图像"，追溯了一些对霍克尼本人产生直接艺术影响的艺术家：马萨乔（Masaccio），荷加斯（Hogarth），皮埃罗·德拉·弗兰切斯卡（Piero della Francesca）以及最重要的毕加索。其中包含了霍克尼在工作室里创作的巨幅作品《长城》的一个局部，当时他正对西方艺术中光学投影设备的使用进行为期两年的研究，结果就是其广受欢迎的著作《隐秘的知识》。在该部分结尾，霍克尼对伦敦国家美术馆管理员的描绘，正处于画家对运用投影转画仪进行研究的时期，他采用了法国19世纪画家让－奥古斯特－多米尼克·安格尔（Jean-Auguste-Dominique Ingres）使用的方法。

"风格联姻"探究了艺术家表现不同"风格"的可能性，并展现了霍克尼在一幅作品中融汇不同风格的一些试验。下一部分"舞台"，在戏剧舞台与幕布的形式框架中，对这种尝试的可能性做了进一步探讨。在此，作品预示了画家的许多歌剧设计，这些设计又转而成为绘画的新起点。

"水"是一个更为特殊的问题：它几乎不能完全静止，它的表面呈现出反射与高光的一种不断变化的图案，有时你也能看到水面以下的东西。为了捕捉到这种稍纵即逝的效果，霍克尼运用多种媒介进行了无数尝试。如何在静止图像的限制下描绘"运动"，以及如何最好地表现我们自身的"动态视角"，这些问题是本章最后两个部分的主题。

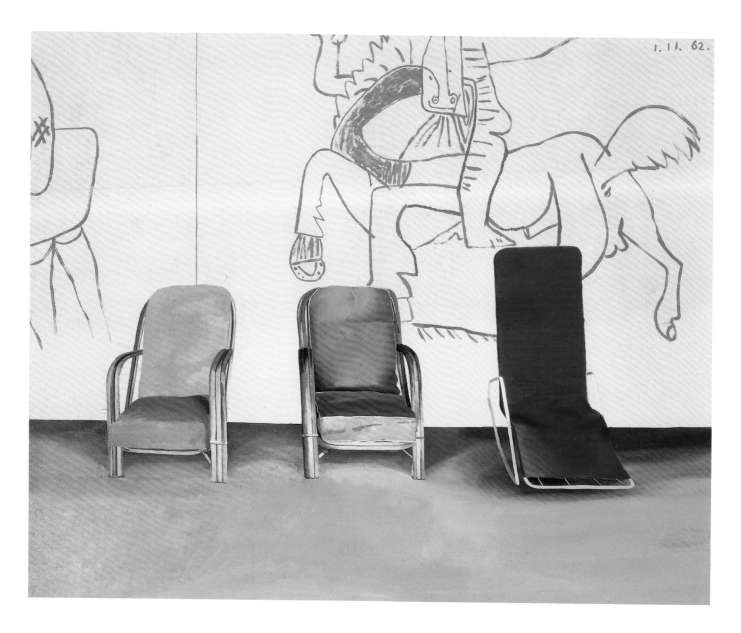

"我一直对毕加索很感兴趣，但是和大多数艺术家一样，我从来不知道如何应对他。他太有影响力了，他的艺术形式也太有特性了。你怎么学？你怎么借鉴？"

《三把椅子与毕加索壁画局部》，1970年

"当你意识到毕加索正在做什么的时候……你会比以往任何时候都更能意识到，现实主义的形式各异，并且有些形式比其他形式更加真实。"

《立体主义酒吧》，1980年，选自《提瑞西阿斯的乳房》

"在巴黎现代艺术博物馆，有一个满是朱利奥·冈萨雷斯（Julio Gonzalez）立体主义雕塑的房间。对我而言，立体主义雕塑的观念比立体主义绘画更难把握……因为这个房间是人工照明，所以雕塑的阴影也更加明显。这些阴影及其完全平面化的形式，似乎与立体主义雕塑的观念相互矛盾。"

《冈萨雷斯和影子》，1971年

13

《观看屏风上的图画》，1977年

　　"屏风上的所有复制品都是国家美术馆收藏画作的复制品。我在那里买过海报，并一直把它们钉在工作室的墙上。至于亨利·格尔德扎勒（Henry Geldzahler）的这张照片，我们把它钉在屏风上，让亨利注视着它们。"

《有精美银框的静物画》，
1965年，选自《好莱坞收藏》

《华丽金边框中的梅尔罗斯大街景色》，
1965年，选自《好莱坞收藏》

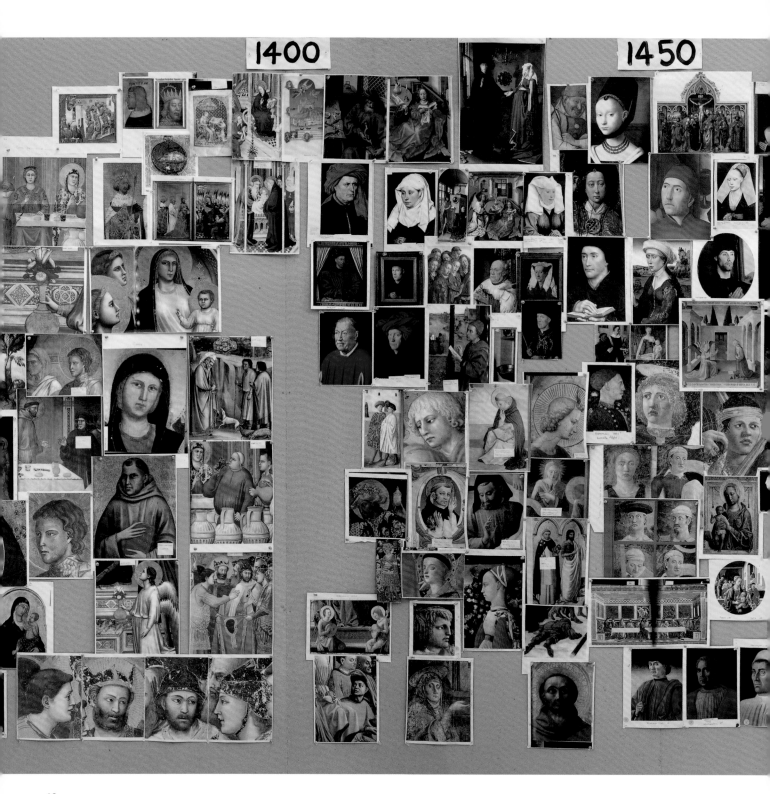

1400

1450

1500

《长城》（局部），2000年

《12幅风格统一的仿安格尔肖像画》，1999—2000年

《逐出伊甸园》，2002年

"第一个人物意味着一种牧师装扮。第二个人物一身士兵扮相,他的身上还佩戴着勋章。第三个人的身上布满了小工人的形象……他是一名实业家,或是诸如此类的什么……我把这种风格称为'半埃及风格'(semi-Egyptian),因为它遵循了真正的具有规则的埃及风格。我认为,一切风格从某种意义上而言都具有一些规则,如果你打破了这些规则,就成了半风格;埃及风格的绘画当然都是平面化的,如果我们打破了平面化规则,就造就了半埃及风格。画面上方的窗帘是我首次采用窗帘主题;因为我想让画面看上去更戏剧化。"

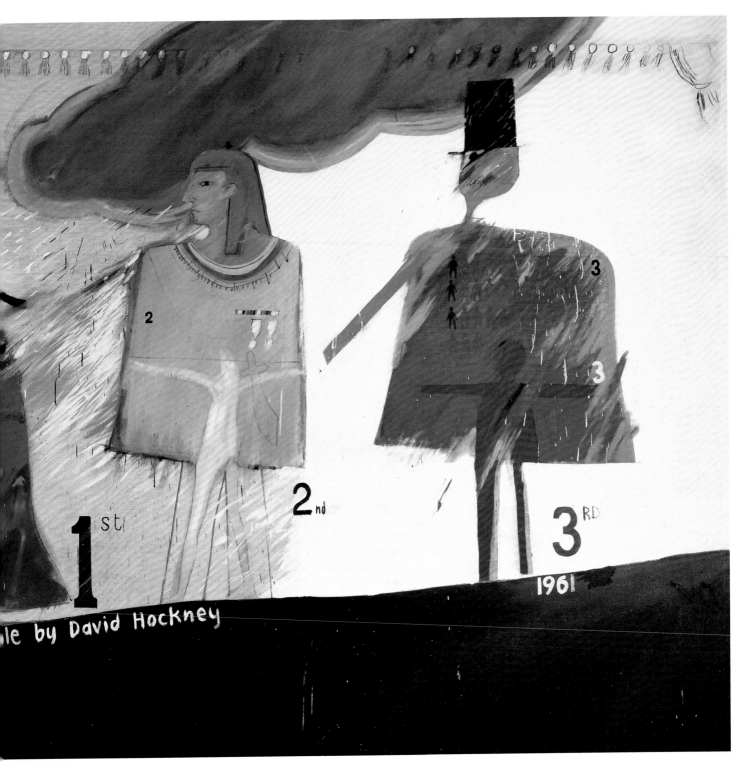

《半埃及风格的权贵盛大游行》，1961年

《初婚（风格联姻 I）》，1962年

《二婚》，1963年

《错觉风格的茶包绘画》，1961年

"在皇家艺术学院的工作室里，我有一把小茶壶和一个杯子，我买了一瓶牛奶和一袋茶——当然是我母亲最喜欢的泰福茶。茶包里堆满了罐装的或管装的颜料，它们一直都四处散落着……这是我最接近波普艺术的时候了。"

"为了让这幅茶包绘画更具错觉感，我产生了用画布的形状来'画'它的想法……它意味着空白的画布本身就充满错觉感，而我可以忽略错觉空间的概念，以平面化风格画得更轻松一些。"

《第二幅茶包绘画》，1961年

《残忍的大象》，1962年

"我把'爬虫'这个词写下来，强迫大象踩扁它们。我画了一个男人坐在大象上，就好像这个男人压着大象，而大象根本不想杀死爬虫——罪魁祸首是那个男人的额外重量。"

《多彩树木旁的立体主义男孩》，1964年

"博物馆里的男人与婚姻系列（第24—25页）有着相同的主题……1962年，我和朋友一起去柏林的佩加蒙博物馆（Pergamon Museum）时，我们走散了。突然之间，我看到他站在一个埃及人物雕像旁边……两个人物看起来是一样的，而且，令我感到更搞笑的是，第一眼看到他们时，我就觉得画面很统一。"

《殖民地长官》，1962年

《博物馆里的男人（或你在错误的电影里）》，1962年

TREE

TREE

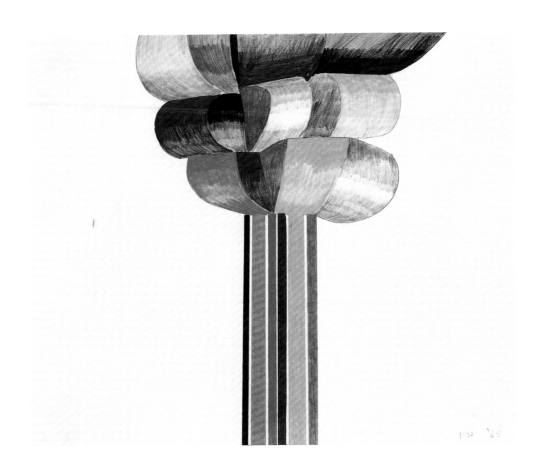

"我非常清楚过去75年里艺术发生的一切变化。我不仅不会忽视它，还想将它融入我自己的艺术中。"

《立体主义的树》，1965年

"我对静物或摆放静物非常感兴趣……《写实风格静物画》画的是一堆圆柱体，借助阴影和其他元素的暗示来塑造空间感，使其显得更加真实。"

　　　　《婚礼上的花》，1962年

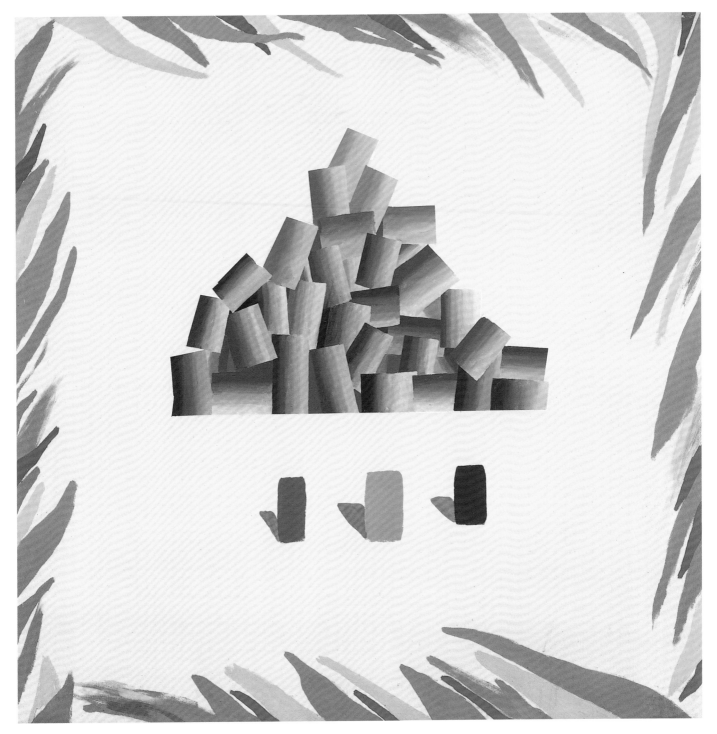

《写实风格静物画》，1965年

"《展示静物的虚构男人》画于《柯尔比》(第8页)之前。人物是虚构的,但静物是真实的。男子手中举着的窗帘是直接从弗拉·安杰利科(Fra Angelico)的《助祭查士丁尼之梦》(*Dream of the Deacon Justinian*)(约1440年)中借鉴过来的。这些图像将我从自然主义中解放出来。"

《摆放物体的玻璃桌》, 1969年

《小夜曲》，1976—1977年，选自《蓝吉他》

《我们自己的画》, 1976—1977年, 选自《蓝吉他》

《有人物和窗帘的静物》，1963年

《坐着喝茶的女人，被站着的伴侣侍候着》，1963年

《歌手》，1963年

cubistic woman oil. 63.

《立体主义的女人》，1963年

The Hypnotist

《催眠师》，1963年

《结局》，1963年

ORDINARY PICTURE

《平常景色》，1964年

《演员》，1964年

《皇宫与阅兵场》，1966年

"我在剧院工作过很久。我工作的那种剧场是歌剧院，意大利剧院，它对远景格外关注，它是超越平面之上的幻想剧院，它是一个盒子……在剧院工作肯定会让你对错觉感兴趣，空间内的空间错觉。"

《"愚比王"的幕布》，1966年

"1961年，在我去过纽约之后，我开始创作我自己的《浪子生涯》系列版画。我把故事设定在那里，并不断加以更新。部分是因为这一系列作品是应格莱德堡歌剧院之邀，为斯特拉文斯基（Stravinsky）的《浪子生涯》而设计的。"

《集会》，1975年，选自《浪子生涯》

"1979年，英国导演约翰·德克斯特（John Dexter）找我讨论为纽约大都会歌剧院设计一个三联剧目单：埃里克·萨蒂（Eric Satie）的芭蕾舞剧《游行》（Parade）为整个节目提供标题，还有两部短歌剧是弗朗西斯·普朗克（Francis Poulenc）的《提瑞西阿斯的乳房》和莫里斯·拉威尔（Maurice Ravel）的《孩子与魔法》。"

《提瑞西阿斯的乳房》，1980年

RAVELS GARDEN

《夜辉中的拉威尔花园》，1980年，选自《孩子与魔法》

Quelle Chance

Le Petit Zanzibar

5

《检阅拼贴》，1980年

《没有影子的女人，第3幕，第4场》（比例模型），1992年

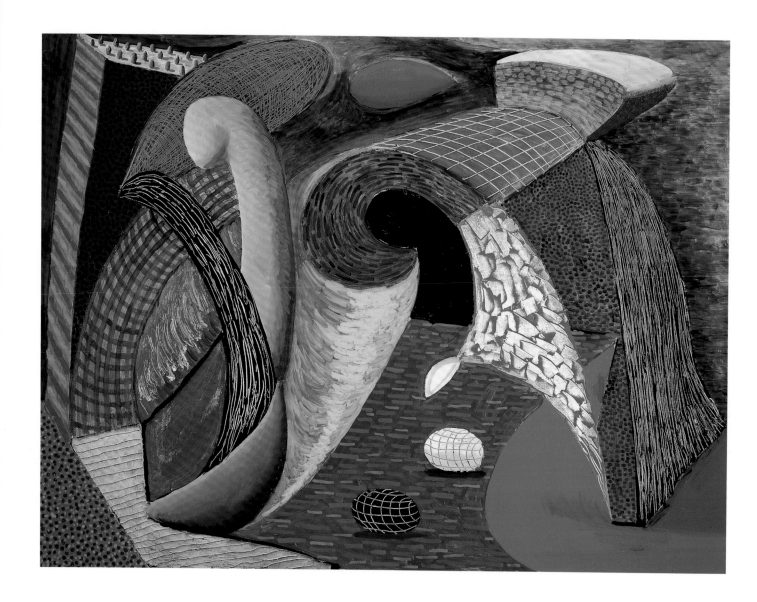

《V. N.系列画第十六幅》，1992年

"1992年，在我完成《没有影子的女人》的布景设计之后，我开始了名为《一些非常新的绘画》（*Some Very New Paintings*）的组画。这些作品一开始很简单，后来变得越来越复杂。我很快意识到，我正在做的就是制作内景，用不同的标记和纹理来创造空间，让观众在此流连。"

《V. N.系列画第四幅》，1992年

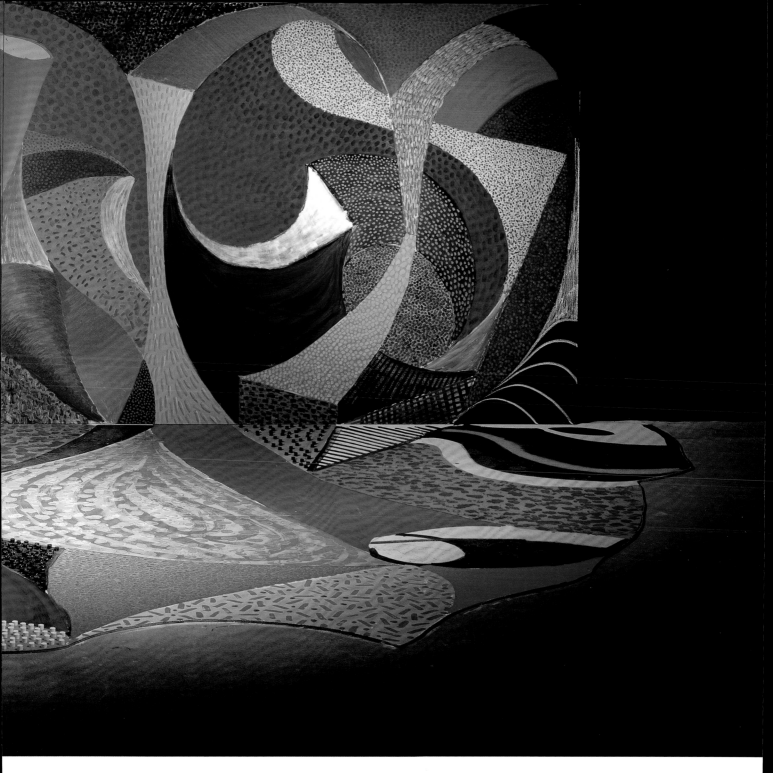

《威利来灯下的蜗牛空间，"作为表演的绘画"》，1995—1996年

《布鲁日附近》，1995年

"我在马里布的房子的一边是太平洋海岸公路，另一边是沙滩。我走出厨房门，就到了海边。所以当我在工作室里画画的时候，我深切地感受到大自然的无穷无尽和大海的潮起潮落。"

《马里布海》，1988年

《三股绿色波浪与橙色沙滩》，1989年

《几何波浪，1989》，1989年

《横穿大西洋》，1965年

"在游泳池系列绘画中，我曾对画水这一更普遍的问题感兴趣，并且一直在设法解决它。实际上，这是一个有趣的形式问题，除了它的主题之外……因为水可以是任何东西——它可以是任何颜色的，它是流动的，没有任何固定的视觉化描述方式。"

《好莱坞泳池图片》，1964年

"我认为,你如何描绘物体的问题是一个形式问题。这是一个有趣的问题,也是一个永恒的难题;至今无解。你可以用各种方法实现这个目标,没有固定的规则。"

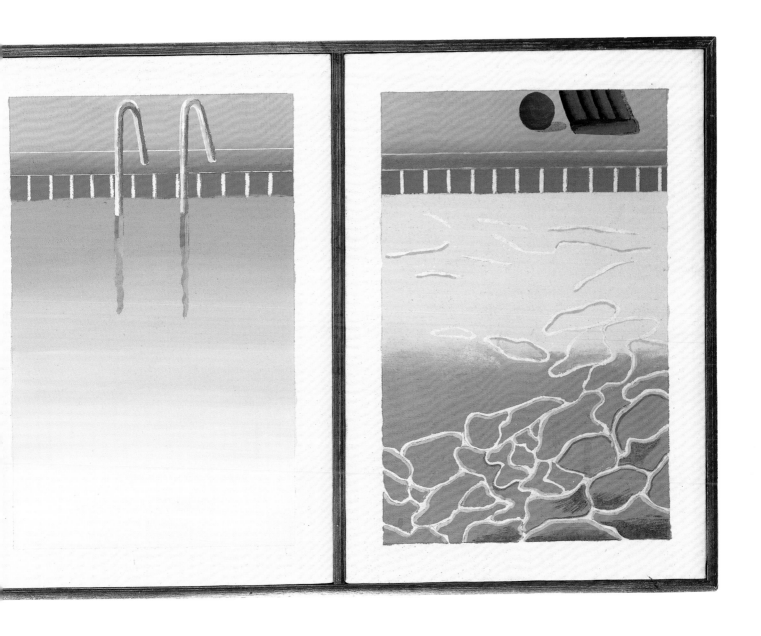

《四种不同的水》，1967年

《水的研究，亚利桑那州，凤凰城》，1976年

《漂浮在泳池里的游泳圈》，1971年

《日光浴者》，1966年

《泳池研究 II》，1978年

《泳池中的两个男孩，好莱坞》，1965年

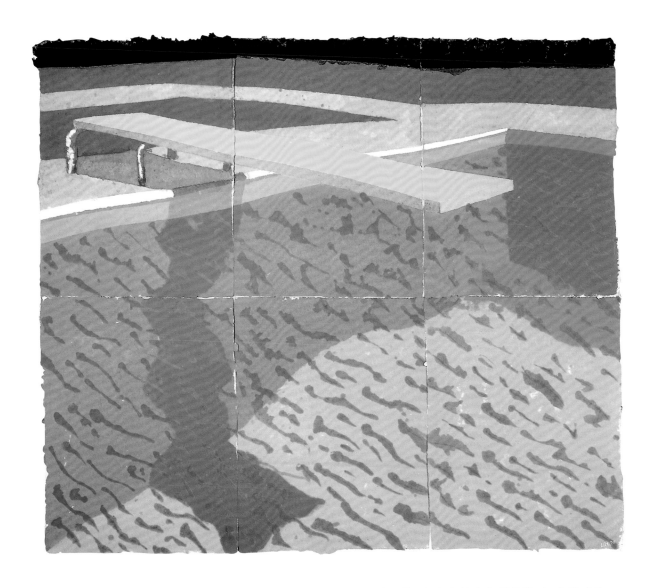

"过程包括从搓碎的碎布和水中制作一张纸……你可以压榨纸浆，当所有的水分都蒸发时，它就成为一张纸……你可以将染料加进纸浆，颜色就会比在表面上涂颜料更鲜亮……渐渐地，我意识到你可以用模具工作，就好像用小金属模具'画'格子一样，一个挨着一个倒出所有的颜色。"

《跳板的影子（纸本泳池系列 13）》，1978年

"《更大的水花》构图均衡，而且是非常有意识地做出这种效果。这是一幅别出心裁的作品。建筑是非常典型的南加州建筑；你可以轻易地在那里找到一个类似的建筑。"

《午夜泳池（纸本泳池系列 11）》，1978年

《更大的水花》，1967年

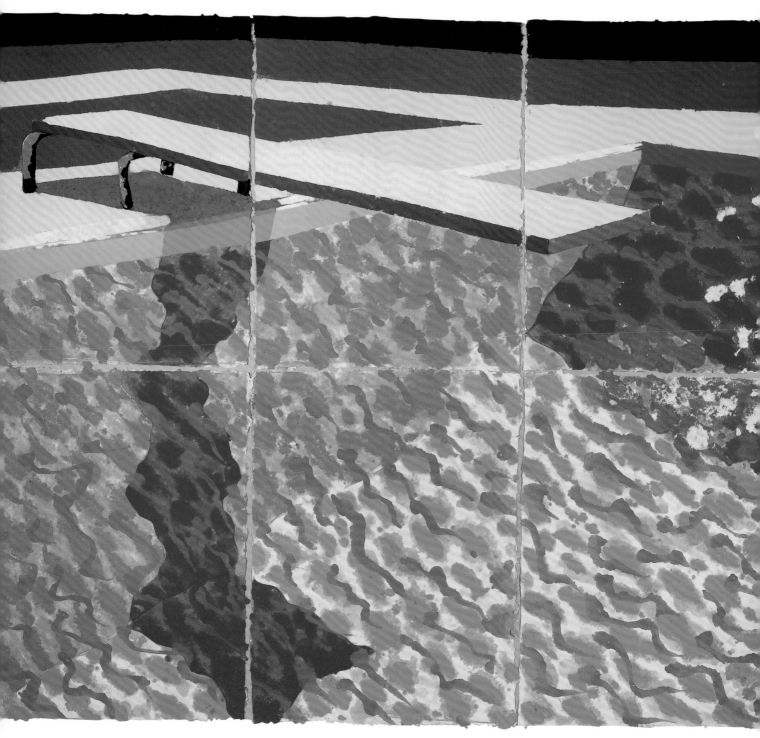

《一位伟大的跳水者（纸本泳池系列 27）》, 1978年

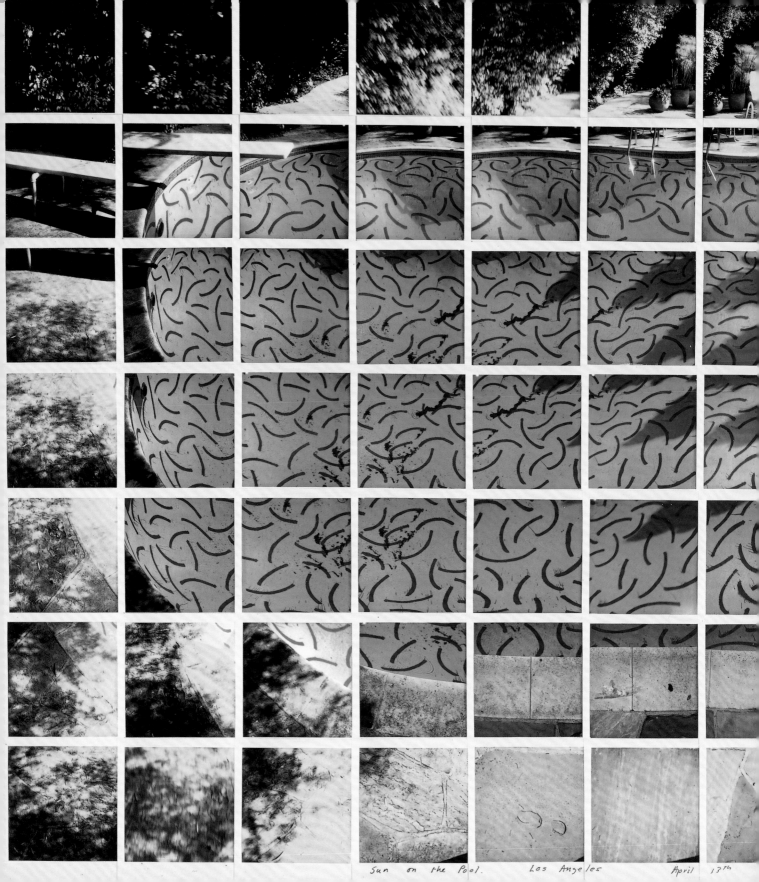

Sun on the Pool.   Los Angeles   April 13th

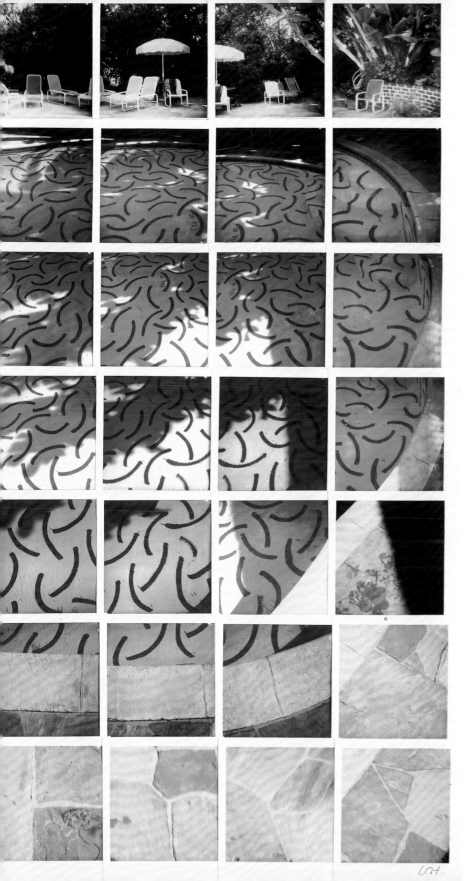

《阳光下的泳池，洛杉矶，
1982年4月13日》，1982年

《雨》，1973年，选自《天气系列》

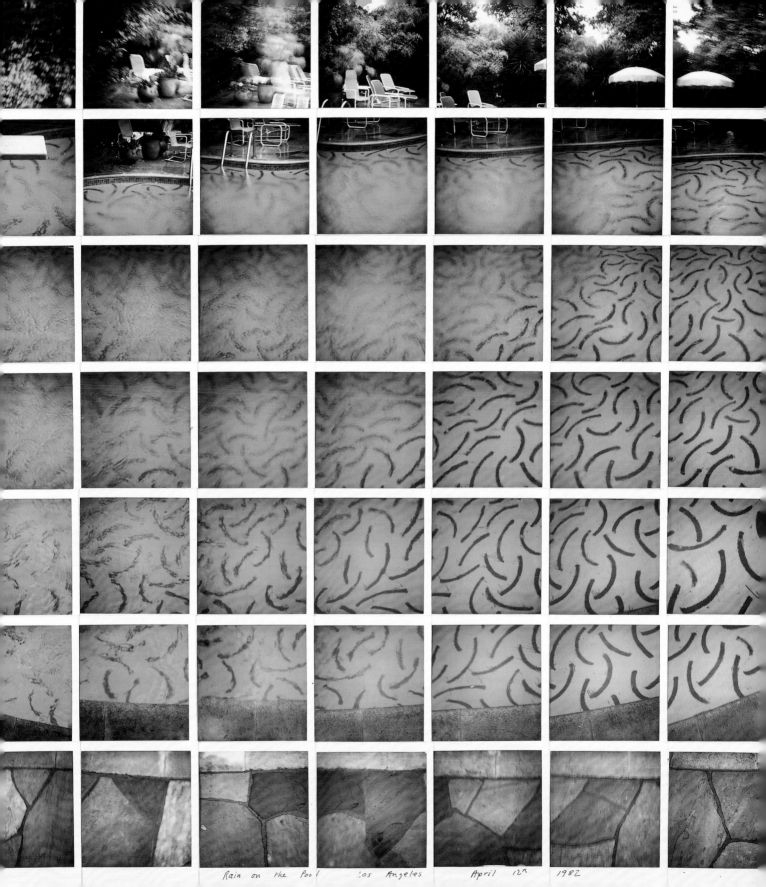

Rain on the Pool   Los Angeles   April 12th   1982

《即将泼向王子的冷水》，1969年，选自《格林兄弟的六仙女故事插图》

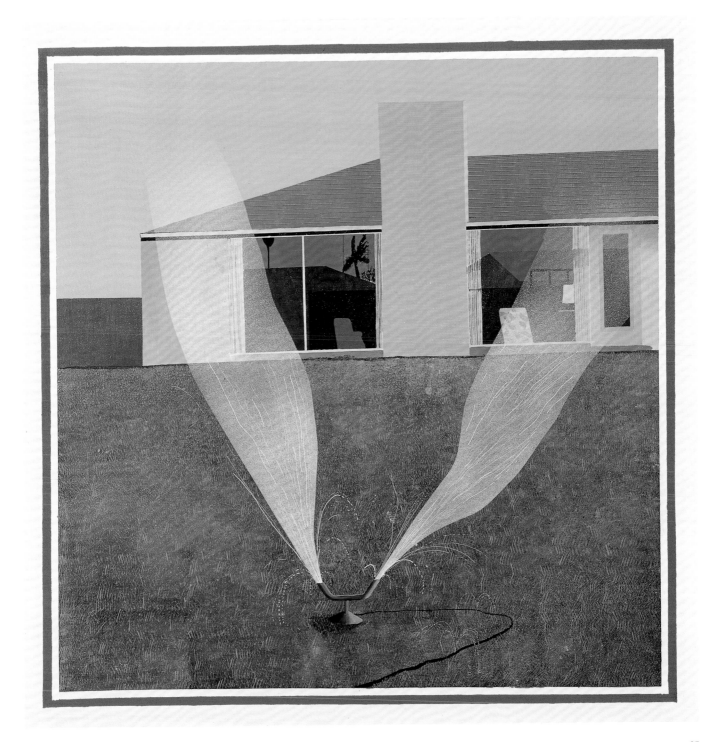

《草坪洒水器》，1967年

《倒入泳池的不同种类的水，圣莫尼卡》，1965年

"在画上写字的一个原因是，它让你用另一种方式去观看图像。我在1962年的《强调静止的图片》中特别使用了这种技巧，从远处看像是一只美洲豹扑向两个人，当时这两人刚从一个半独立式住宅中走出来，正安静地交谈着……当你走近画面，你会注意到一行铅字……这样写道：'他们非常安全，这是一个定格画面。'……虽然它看起来好像充满动感，但它仍然是静止的；一幅画不可能有任何行动。"

《强调静止的图片》，1962年

《求助》，1962年

"《恰恰舞》记录的是一个真实的事件。在皇家艺术学院学习的一个非常漂亮的男孩，特意为我跳了支恰恰舞，即使我不是很了解他，但他知道我觉得他非常美丽。我认为这对我产生了一定的影响，也许这就是可供我创作的另一件事情。"

《1961年3月24日清晨跳的恰恰舞》，1961年

《布拉德福德弹跳，1987年2月》，
1987年

《两位舞者》，1980年

《华尔兹》, 1980年

《静物和电视》，1969年

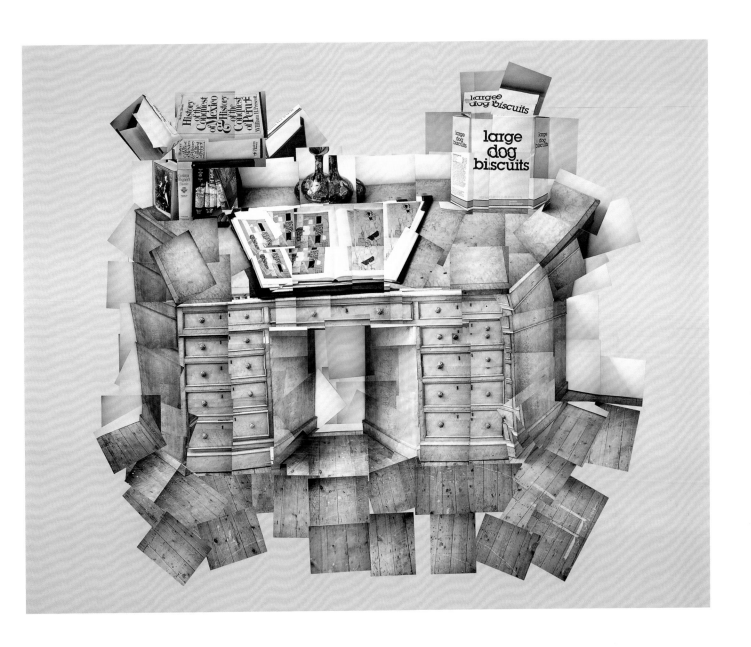

《书桌，1984年7月1日》，1984年

　　"在文艺复兴时期，发明了用灭点描绘空间的新方式，这似乎使得描绘更为真实……然后到了另一个点，也许是在19世纪，文艺复兴时期的空间描绘被视为一点也不真实。具有洞察力的人们开始认识到，空间可以通过不同的方式呈现。"

　　"当我开始在好莱坞山上生活的时候，我每天都开车去我的工作室。我迷上了这些蜿蜒曲折的线条，并开始在绘画中使用它们。从山上看洛杉矶是一种完全不同的体验。事实上，这些绘画比你想象的更真实。当你欣赏《穆赫兰道》时，'道'指的不是道路的名字，而是驾车的过程——你的眼睛以一种和汽车在道路上行驶的速度差不多的速度在画中移动。"

《穆赫兰道：通往工作室的道路》，1980年

"为了《在龙安寺禅意花园散步》，我拍了160多张照片……就在那时，也直到那时，我才开始意识到，我实际上研究的一个领域是视角，这是你在摄影中可以改变的东西。当我第一次把它们拼在一起的时候，我以为自己拍了一张没有视角的照片。"

《在龙安寺禅意花园散步，京都，1983年2月》，1983年

"立体主义是一种对固定观察方式的破坏。一个固定的位置意味着我们保持静止不动，甚至连眼球都是静止的。然而我们都知道，我们的眼球是在不断转动的，只有我们死了或者我们盯着某样东西的时候，它才不会动。但是如果我们盯着某样东西，我们就并不是真的在观察。这就是单帧照片的问题：实际上你所做的一切就是盯着它。由于照片本身是缺少时间的，所以你的视线无法在照片中游走。当我意识到我的新摄影概念与立体主义有关时，我刻意创作了两幅立体主义式静物的仿作——我架起吉他、烟草罐、木桌等等——所有立体主义静物的元素。我认为比起单一图像来说，这个结果能告诉你更多关于世界上物体存在的信息。"

《摄影之眼》（局部），1985年

"1981年，我开始使用宝丽来相机，并且开始创作拼贴画。很快，一个星期之内，我把它们搞得很复杂。我对此很感兴趣，并开始着迷于此。我用宝丽来相机创作了大约150张拼贴画……这让我重新燃起对立体主义和毕加索观念的兴趣，所以从某种意义上说，摄影让我重新思考了立体主义的观察方式。"

《黄色吉他静物，洛杉矶，1982年4月3日》，1982年

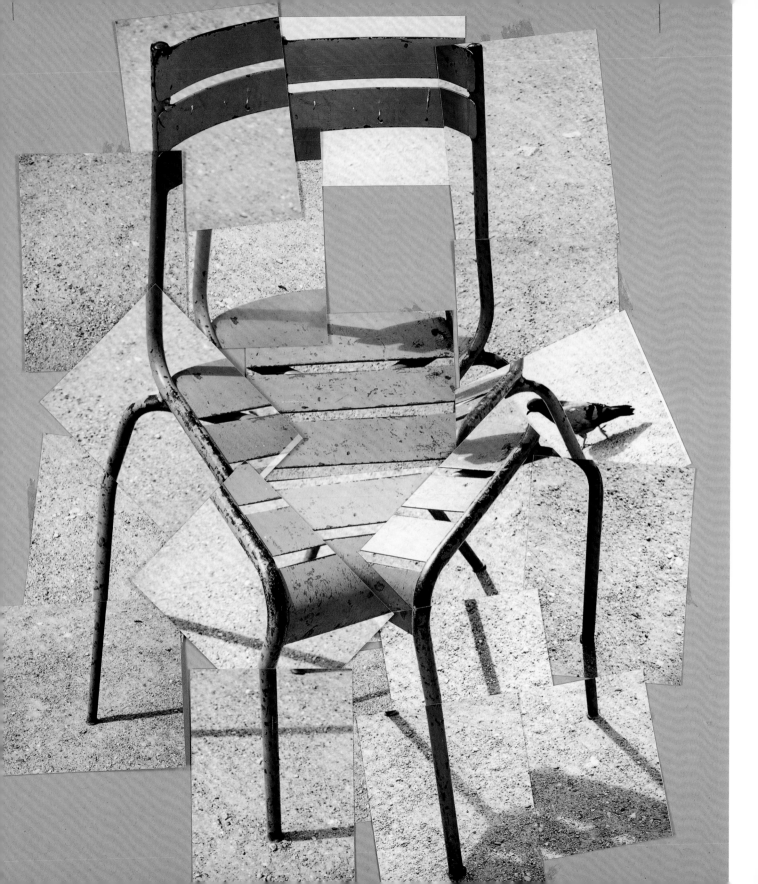

"在这些作品中，我仍然在探索透视的空间观念……由于这些画面中有许多视角，视线总是被迫一直移动。当视角移动时，视线就移动，当视线随着时间的推移而移动，你便开始将时间转换为空间。当你移动时，椅子的形状会改变，地板上的直线看似也会以不同的方式移动。"

《椅子》，1985年　　　　　　　《凡·高的椅子》，1988年　　　　　　　《高更的椅子》，1988年

"我对于空间移动以及如何做到空间移动很感兴趣，我有一种感觉，
现在有一种方法让你可以做到，从毕加索的成就开始，然后进一步推进，
最终使它看起来不像毕加索，但仍然看起来非常真实。"

《两把彭布罗克工作室的椅子》，1984年

"多重视角创造的空间要比单一视角创造的空间大得多……我在一片风景中移动，从不同的视角慢慢地建构它。那个迎面看到的停车标志，实际上是从梯子上拍的，地面上'停止前进'这几个字也是从上面看到的（使用一把高大的梯子），所有的东西都通过'拖拽'放在一起，营造一种广阔而深邃的感觉，但同时一切都被呈现在画面上。"

《梨花公路，1986年4月11—18日（第二版）》，
1986年

寂静生活

提炼生活并记录在纸上或画布上；抓住两人之间存在的特殊关联；结合活动，以至于时间看起来像是静止的；描绘自己所处的亲密环境，并让它们对所有人吐露心声——这些只是霍克尼50年以来取得的一部分艺术成就。霍克尼也许比当今任何在世艺术家，都更乐于在作品中表现他的生活，以及他的亲密朋友和家人的生活。从这个层面上来说，他的艺术可以被称为是自传性的，因为它反映了画家生活的环境、他的亲密圈子，以及在任何特定时刻下他自己的情感纠缠。

从20世纪60年代初那令人兴奋的学生时代开始，从他首次到访加利福尼亚州并出国旅行，到后期在洛杉矶和伦敦的家庭生活场景，霍克尼一直在其周围所见之人和所见之物上寻找灵感。想象，可能偶尔会浮现，至少以记忆的形式（正如《我在洛杉矶的花园，伦敦，2000年7月》，是艺术家在其伦敦工作室创作的；第192页），但多半情况下，霍克尼往往直接从生活中寻找灵感，有时他是小心翼翼而刻意为之的，正如他的淋浴人像（第112—115页），或是他精心策划的双人像，描绘某种关系的独特性（第125、127、130—131、134—135页）；有时是自发的，正如他所画的午后明媚阳光下的花园写生（第142—143页），或者他那幅有香烟和烟灰缸的精致水彩画（第172页）。

记录与朋友一道的快乐时光，假期的回忆，自家住宅、工作室和花园的风景：我们知道，无论何时欣赏霍克尼的作品，我们都能对他自己的私人世界投以特殊的一瞥。

《伊夫 – 马力与马克，巴黎，1975年10月》，1975年

"在《两个正在洗澡的男人》中，左边的人物形象源自杂志；而正在淋浴的人物形象源自生活。我有一个这样的浴帘，我让莫站在里面洗澡，这样我就能透过浴帘来观察并描绘。"

"美国人经常洗淋浴——我从经验以及形体杂志中了解到这些……比弗利山庄的房子里似乎到处都是各种形状尺寸的淋浴间——有的装着透明玻璃门，有的装着磨砂玻璃门，有的挂着透明帘子，有的挂着半透明帘子。在我看来，这些都是奢侈享受所需的元素。"

《正在淋浴的美国男孩》，1963年

《洗澡的男人》, 1965年

"我想为何不再次写生呢？人物形象再次占据整幅画面。我觉得我需要把生活中的东西融入这种的样式中。"

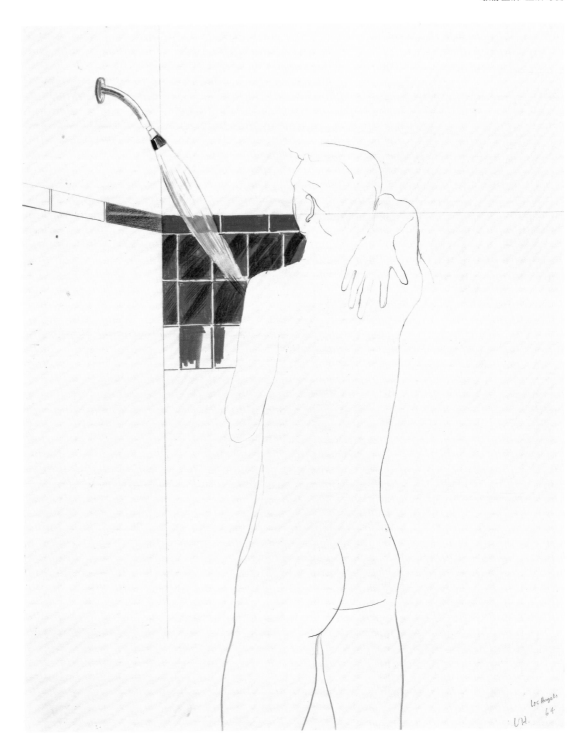

《裸体男孩，洛杉矶》，1964年

《在达尔村》，1966—1967年，选自《C. P. 卡瓦菲斯的十四行诗插图》

《两个23或24岁的男孩》，1966—1967年，选自《C.P.卡瓦菲斯的十四行诗插图》

《家庭场景，洛杉矶》，1963年

《家庭场景，布罗德查尔克，威尔特郡》，1963年

"很多早期绘画都具有相当强烈的色彩。我认为是自然主义淡化了它。
当你抛弃自然主义时,你就会更多地使用色彩。"

《柏林:一次纪念》,1962年

"我曾经认为绘画空间不那么重要。慢慢地，我开始意识到它比我们想象的要重要得多——总之比以前认为的更重要——因为这会让观者开始用另一种方式看待世界，或许这是一种更为清晰的方式。我们不可能看到的都是同样的事物，我们应该看到一些不一样的东西。"

《今晚要成为女王》，1960年

"《娃娃男孩》是以流行歌手克利夫·理查德（Cliff Richard）为原型创作的作品，他是一个非常迷人、非常性感的人……他有一首歌，歌词这样写道：'她是一个活生生的能跑会说的娃娃。'他性感地唱出了这句歌词。这幅画的名字就源自这句歌词。他指的是某个女孩，所以我把他变成一个男孩。"

《娃娃男孩》，1960—1961年

I will love you at 8 pm next Wednesday

tuesday

"我认识了克里斯托弗·伊舍伍德，我们很快就成为朋友。在我认识的作家中，他是我最敬佩的一位。我对他以及与他同住的唐·巴卡迪非常熟悉；他们会邀请我出去，带我吃晚饭；我们一起度过美妙的夜晚。克里斯托弗总是乐于谈论任何事情，我很喜欢他这样。"

《克里斯托弗·伊舍伍德与唐·巴卡迪》，1968年

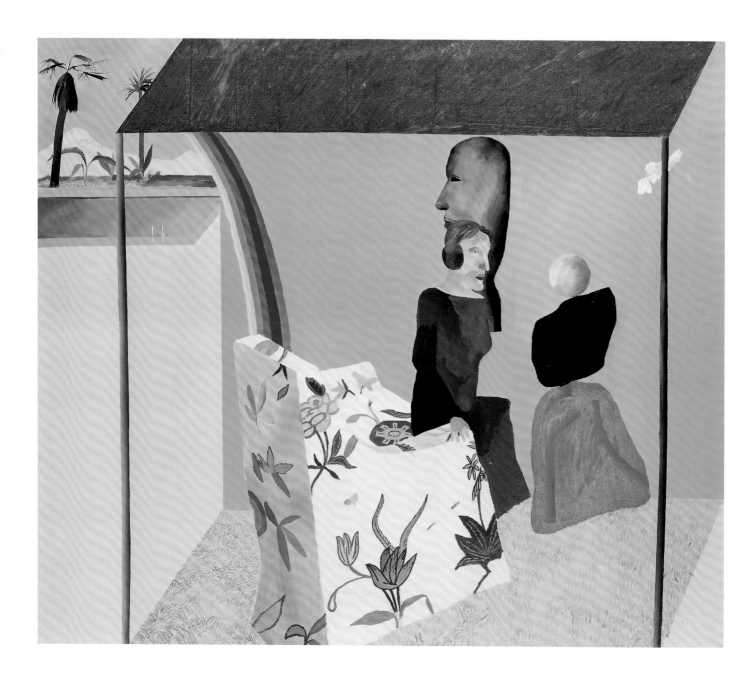

《加州艺术收藏家》，1964年

"弗雷德·韦斯曼和马西娅·韦斯曼没有来为《美国收藏家》（*American Collectors*）做模特。我认为对这幅画而言，这并非必要，因为从某种意义上说，他们那包含艺术品的花园是他们肖像的一部分，而在克里斯托弗和唐的绘画中，房间里唯一的物体只有那些书和水果。"

《美国收藏家（弗雷德·韦斯曼和马西娅·韦斯曼）》，1968年

《弗雷德里克·阿什顿和韦恩·斯利普》，1968年

《乔治·劳森研究》，1977年

"这是最接近自然主义的绘画；我用的是自然主义这个词，而不是现实主义。这些人物形象几乎是真人大小，这样的人物很难画，这是一件非常不容易的事情。他们摆了很久的造型。奥兹（Ossie）被画了很多次；单单它的头我可能就画了12遍……其中一个关键的技术问题在于它是背光的，光源在画面的中间，这确实是个问题……如果你能看到它，它必须是画中最亮的事物，所以它会引起色调的问题……造成以上所有技术问题的原因是，我的主要目的是描绘这两个人之间的关系。"

《克拉克和珀西夫妇》，1970—1971年

《亨利与莫，瑞雷尔山庄》，1973年

《在船上的尼克与亨利。很高兴到卡尔维，1972年7月18日》，1972年

"格里高利和雪莉
是在巴黎生活了20年的
美国人。他们都是艺术
家，但雪莉不常画画；
她在巴黎四处闲逛，花
了很多时间在花神咖啡
馆（Café de Flore）消
遣……我被他们居住
的小工作室震惊了，只
有两个小小的房间，它
们真的是非常小……
他们之间的关系也很
奇怪：他不能在她不
知情的情况下外出，但
是她可以。他们之前
结婚了，但是现在分开
了。"

《雪莉·戈德法布与格里高利·马苏罗夫斯基》，1974年

《雨中的艺术桥》，1974年

《雨中的伊夫－马力》，1973年

　　"艺术家想要为人们做的是让他们更接近某些事物，因为艺术其实就是分享：除非你乐于分享经验和思想，否则你不会是一个艺术家。我总是专注于如何消除距离感，以便我们能够靠得更近，这样才会开始感觉到我们是一样的，我们是一体的。"

写生簿册页:《出租车,肯辛顿》,2002年

（上图）写生簿册页：《维多利亚和阿尔伯特博物馆》，2002年
（下图）写生簿册页：《泰特美术馆的庚斯博罗展览》，2002年

（上图）写生簿册页：《街上的人》，2003年
（下图）写生簿册页：《街上的人》，2003年

"我是一名一直在工作的艺术家。我知道有些人认为,我总是花时间去游泳或在夜总会跳舞。没关系。但是,事实并非如此。大部分时间我都在工作。"

写生簿册页:《科摩》, 2003年

《镜子,卡萨桑蒂尼》,1973年

《维希矿泉水和"霍华德庄园",卡雷纳克》,1970年

《椅子，马穆尼亚酒店，马拉喀什》，1971年

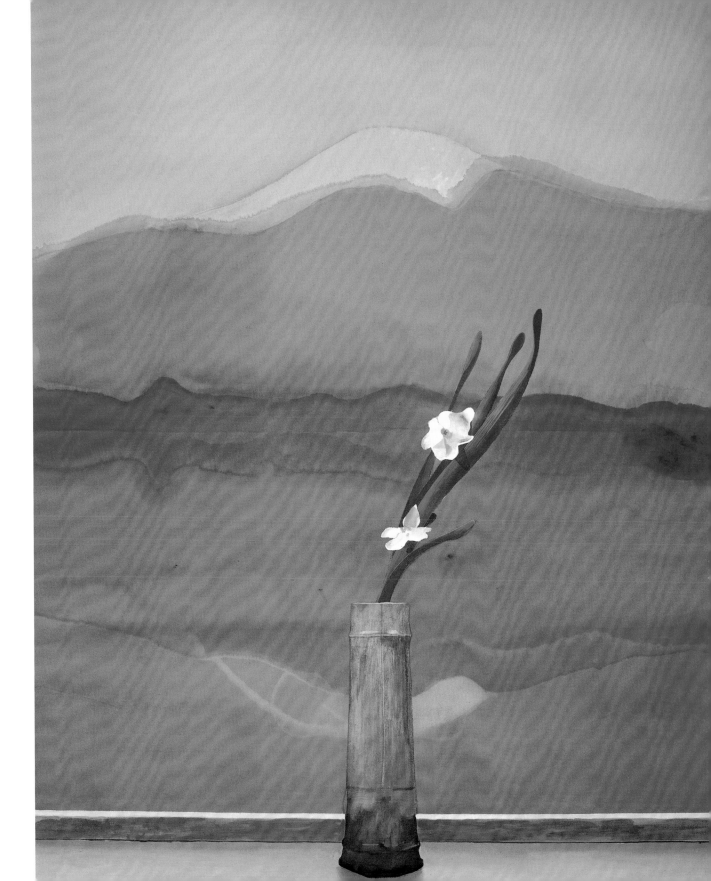

写生簿册页:《马蒂斯与静物》,1985年

"无论你的媒介是什么，你都得对它做出回应。我一直很喜欢交换媒介。我通常遵循它，而不是违背它。我喜欢使用不同的技术。如果给你一支破画笔，你可以用不一样的方式画画。我常常这样做：我故意挑选一种媒介以迫使我改变方向。"

"用水彩画画无法覆盖痕迹。如果有一个用图片构建的故事，那么这个图片也可能讲述另外一个故事。"

《从五月花酒店向外看，纽约（傍晚）》，2002年

《仙客来，五月花酒店，纽约》，2002年

《维特瓶》，1995年

《静物与书》，1973年

《舞动的花朵，1986年5月》，1986年

《绿色和蓝色的植物》，1987年

《五盆挂着彩灯的盆景（山）》，2002年

《红色线性植物》，1998年

"当你制作印刷品时,你的头脑会开始分层思考;你分离了颜色,同时分层思考……当我发现如何使用复印机打印出预先不存在的图像时,我非常非常的兴奋……那些通常被我称为'自制打印'的作品,是在6个月左右的时间内完成的,它们从非常简单的东西发展为复杂的印刷品,复杂的意义在于,有时一张纸通过机器要印制多达12次。"

《生长,1986年6月》,1986年

《三朵黑色花，1986年5月》，1986年

《两朵粉色花》，1989年

《一盆紫罗兰》，2002年

《去皮柠檬切片》，1995年

《瓶子里的向日葵、烟灰缸与橘子》，1996年

《阳台上的仙人掌》，1998年

《梯子和扫帚 II》，2003年

写生簿册页：《工作室地上的烟灰缸》，2002年

写生簿册页：《工作室地板上的洞》，2002年

《钢琴上的帽子与梨》，2003年

《椅子上的帽子》，1998年

写生簿册页：《椅子上的夹克》，2002年

《钢琴与灯》，2003年

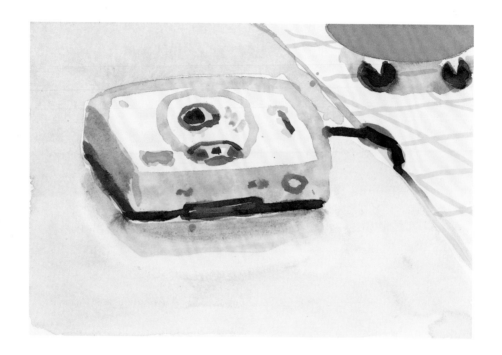

《约翰的相机》，2003年

《二手椅子》，1988年

《正在烹饪的约翰 II》，2003年

《白天的海滩别墅》，1990年

《夜晚的海滩别墅》，1990年

《在马里布与斯坦利共进早餐，1989年8月23日》，1989年

"我大约于1988年10月在马里布开始使用传真机。其中的许多作品都是由海景画通过机器的延伸得来，再用另一种方式简化、填塞、剪贴，制作成一张拼贴画，然后传真。"

《1989年星期天在马里布的早餐》，1989年

"这幅作品展现了房间里的一切。制作这幅图像让我产生了描绘房屋本身的想法。我用红色和绿色来画它，这是我为拉威尔的《孩子与魔法》做设计时使用的色彩——绿色则是户外自然的色彩。"

《好莱坞山的房子》，1981—1982年

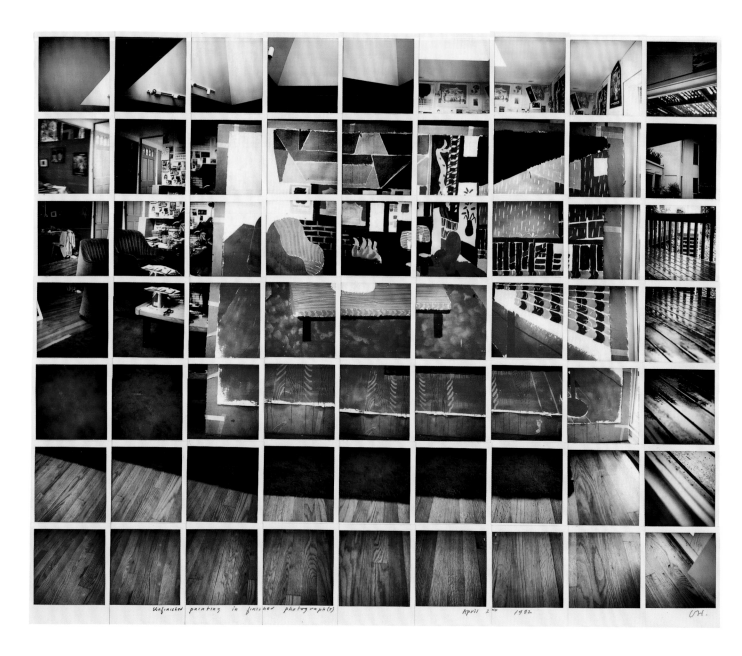

《成品相片的未完成作品，1982年4月2日》，1982年

《工作室，好莱坞山的房子》，1982年

"我常常思考我的观看方式。多年以来，我认为我的眼睛非常古怪或是什么。我一直在想，当你的眼睛在游走中聚焦时，你到底能看到什么，又真的能看到多少？"

《阳台、泳池与客厅，1984年2月》，
1984年

《阳台与阴影，1985年》，1985年

《有两条狗的蒙特卡姆室内场景》, 1988年

"这些室内场景就是我位于好莱坞山上的房子的样子。当我创作这些作品时，我一直在探索透视的空间观念，正如我在椅子系列绘画中已经做的那样。"

《大型室内场景，洛杉矶，1988年》，1988年

《我在洛杉矶的花园，伦敦，2000年7月》，2000年

《周六的雨 II》，2003年

《红色的椅子，1986年4月》，1986年

《大门》，2000年

《宾馆的花园》，2000年

《仙人掌花园 IV》，2003年

"很难说清楚我为何选择当一个艺术家。很明显,我比其他人多了一些能力,但有时候能力的获得只是因为某个人对观看事物、检查事物、表现事物更感兴趣,要比其他人对视觉世界更感兴趣。"

《木本曼陀罗与多肉植物》,2000年

"在艺术中，新的观看方式意味着新的感受方式；你无法将两者分离，正如我们现在意识到的，你无法拥有一个没有空间的时间，或没有时间的空间。"

《花园里的红色花盆》, 2000年

《阳台外的风景 II》，2003年

《蒙特卡姆阳台外的
四幅风景》，2003年

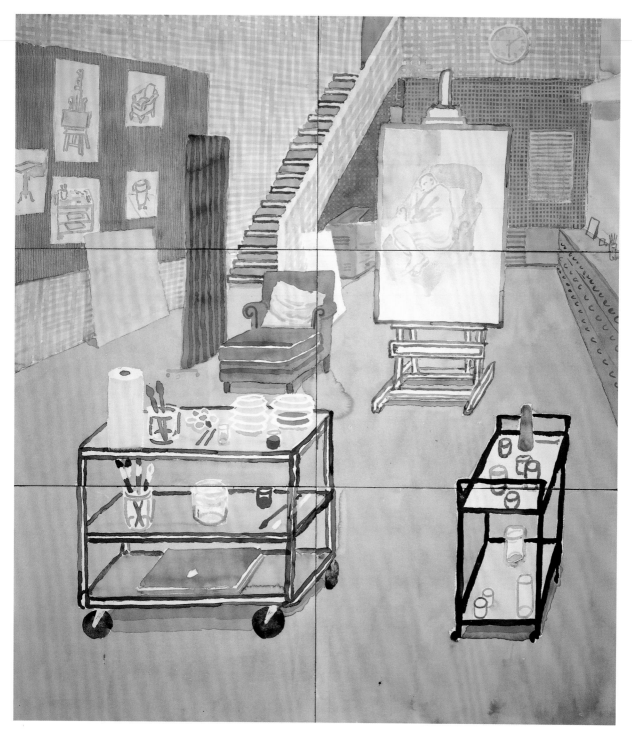

《洛杉矶工作室》，2003年

《彭布罗克工作室室内场景》，1984年

《有灯的内饰》，2003年

肖像

"容貌是我们最感兴趣的所见之物；别人令我着迷之处，以及别人最引人注目之处——那是我们深入其内心的关键所在——就是容貌。容貌告诉了我们一切。"

从十几岁开始，霍克尼就创作了第一幅肖像画和自画像，他一直对人以及如何在艺术中表现人非常感兴趣。本章探究了他描绘周围人物的众多方式，不管他们是像曼·雷一样的名人，还是克里斯托弗·伊舍伍德、亨利·格尔德扎勒、西莉亚·伯特威尔（Celia Birtwell）和乔纳森·西尔弗这样的终身挚友。在这章里，我们可以发现艺术家与家人、朋友及恋人的关系，他的作品包括对亲朋好友、父母、伴侣以及爱犬那亲密感人的描绘，一直到近期创作的大型水彩双人肖像。

20世纪60年代后期，在用各种不同的风格描绘人像之后，霍克尼转而采用了一种更为自然的形式来表现他周围的世界。他现在试图重新将自己训练成为一名绘图员，并检验一下在布拉德福德学到的观察力和技巧。而肖像对他而言是一个绝好机会，从那以后，他绘制了许多肖像系列，而且每一次都在探索新的描绘方法和技巧。他尤其以其标志性的钢笔墨水写生研究闻名，这是20世纪以来最美丽且最简约的肖像画。自画像也对霍克尼起到重要的作用。特别是近年来，他创作了一个持续时间很长的系列，其中常常展现出他沉思的心境。

霍克尼的创作媒介包括油画、印刷、铅笔、钢笔墨水以及摄影，这些媒介颠覆了传统的肖像画，为其注入新的活力，使之成为其艺术的核心关注点。描绘人物也是解决其他艺术问题的方法之一。正如画家所说："有时候当我觉得有些失落、四处彷徨时，我就会这样去做。"霍克尼的肖像画总是不断地在揭示和吸引，让我们一次又一次回归我们的人性。

"这 是 帕 特 里 克·普 罗 克 特（Patrick Prockter）在他的工作室里的一幅肖像。1967年，帕特里克的工作室看上去干净整洁，就像一间办公室。第二年，它看上去就像是在阿拉伯宫廷里的一个巢穴……我用照片记录下变化，这幅作品是由素描、写生和照片制成的。"

《位于曼彻斯特街的房间》（局部），1967年

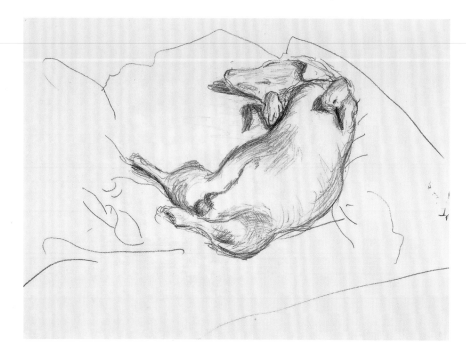

"人们不理解这些画。他们并不理解这些作品关乎爱，无关其他。"

《黑人》，1993年

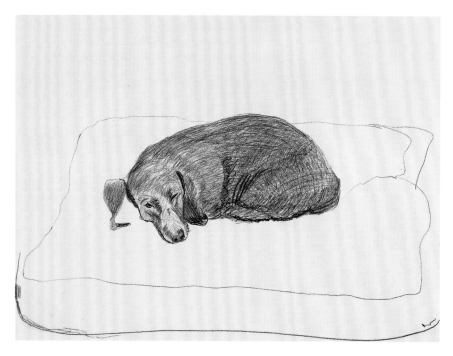

《斯坦利》，1993年

Peter.   Feb. 13ᵗʰ 1972

《尼基·雷》，1975年

"从1973年到1975年，我主要住在巴黎……我花了很多时间去创作大画幅肖像画，慢慢地描绘它们。我花两三天的时间慢慢地画这个人，而不是一般意义上某种理论性的'准确'。"

《尤金·兰姆博士》，1973年

"我开始喜欢上巴黎,我开始画很多画,那时候我开始画很大幅的作品。西莉亚来拜访过
我几次,于是我开始画她的大幅肖像。"

《斜倚在黑色躺椅上的西莉亚,12月,巴黎》,1973年

《把脚跷在椅子上的西莉亚》，1984年

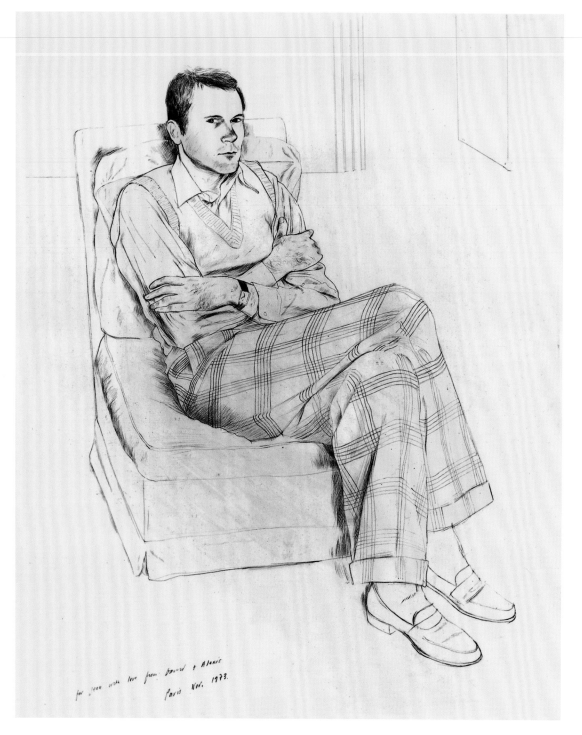

"我会画一些朋友的素描。我会让他们坐下来，摆几个小时的姿势，等等，以便于我慢慢地把他们画准确。有时候当我觉得有些失落、四处彷徨时，我就会这样去做。"

《让·莱热肖像》，1973年

《曼·雷》，1973年

174   Paris Oct 1973

《莱拉·迪·诺比利, 1973年, 巴黎》,
1973年

《鉴赏家》, 1969年

"1977年,我搬到了波伊斯·特瑞斯(Powis Terrace)楼上的新工作室,格雷戈里经常从西班牙来看我,他曾经在这里生活过。我画了很多他的肖像。"

《格雷戈里》,1978年

《皮埃尔·圣−让，2000年
6月于伦敦》，2000年

《第三幅皮埃尔·圣－让》，1984年

"我在1961年1月左右遇见卡斯明, 当时他正为马尔堡美术馆工作。他对我的作品很感兴趣。他说'多带一些来马尔堡', 我就这么做了。他们厌恶它们……觉得它们很可怕。"

《卡斯明》, 1988年

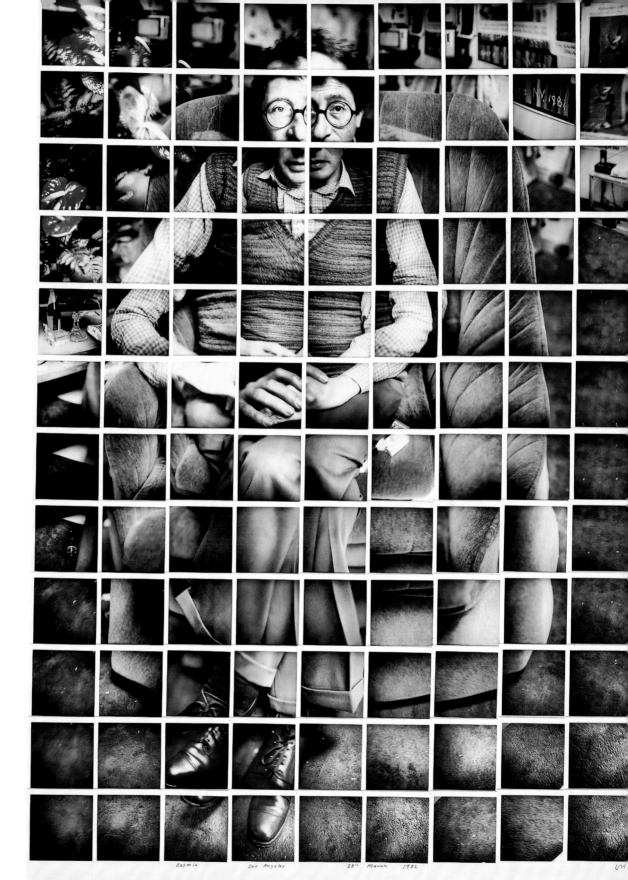

Kasmin   Los Angeles   28th March   1982

"我不能只根据理论知识画人物。如果某物是不存在的，那你需要处理的事实就是它并不存在，你就需要处理这种不在场。"

　《沉睡的亨利》，1978年

《亨利》，1988年

《安·格拉夫斯》，2003年

"一旦我亲手画出我所见之物，我便牢记在心，然后我就可以再次把它画出来，即使没有模特。"

《抹口红的安》，1979年

15 Feb 1994 DH.

《威尔伯·斯瓦茨博士, 1994年2月15日》, 1994年

《莫里斯·佩恩》，1971年

《乔纳森·西尔弗，1993年12月30日》，1993年

《乔纳森·西尔弗，1997年2月27日》，1997年

"1999年初，我用投影转画仪创作了一幅画。这是一次实验，我预感到，安格尔在19世纪的前10年，偶尔会使用这种小型光学设备，当时刚刚发明出来……起初，我发现它很难用。它展示出的并不是这个对象的真实形象，而是一个眼中的幻觉。当你转头的时候，所有的东西都随之移动，艺术家必须学会用快速记录来固定眼睛、鼻子和嘴巴的位置，来完成一幅'画像'，这是一个需要集中注意力的工作。在当年的剩余时间里，我坚持不懈地继续使用这种方法——并一直在学习。"

《诺曼·罗森塔尔，1999年5月29日于伦敦》，1999年

《埃德娜·奥布赖恩，1999年5月28日于伦敦》，1999年

《唐·巴卡迪，1999年7月28日于洛杉矶》，1999年

《理查德·施密特，1999年7月16日于洛杉矶》，1999年

《菲利普·霍克尼，1999年10月7日于澳大利亚》，1999年

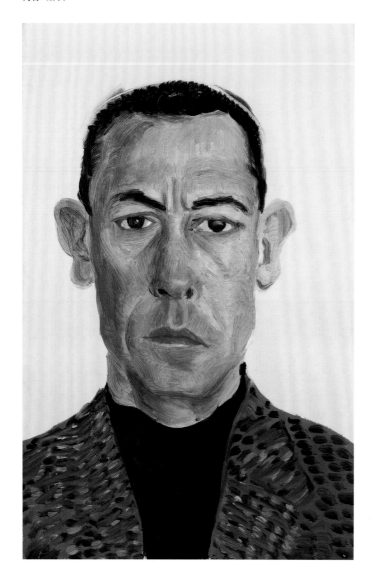

"1988年，我开始创作一系列小肖像，它们都画得非常快，而且大部分都画在相同尺寸的画布上……我觉得我想再看看我朋友的脸，于是我迅速而粗糙地画下他们，但是，随着画作的积累，它们显得很有趣味。我所画的大多数人都不喜欢这些画——我不认为自己是一个奉承者。如果最好的那幅画的是我的母亲，那也许是因为我最了解她。"

　　　　　《尼科斯·斯坦戈斯》，1989年　　　　　　　　　　　　　《乔治·克拉克 II》，1989年

《凯伦·赖特》，2002年

"生平第一次,我对水彩这一媒介进行了数月的探索。它需要速度和方法。也许两个人坐在一起可以画得更快。当某些单人肖像完成后,我发明了一种方法来使用和改进它,将它们扩大到两张纸上。任何媒介都有得有失,但我认为在这里获益颇多。"

《迈克·伊佐 IV》,2003年

《安德鲁·马尔》，2002年　　　　　　　　　《等画变干的林迪》，2003年　　　**243**

George.
London.
17 Dec 02

《乔治·穆德》，2002年

"水彩画都是当着模特的面画的……从一开始，我就从一个面部画到另一个面部……如果一个人发现你正在画另一个人的面部，那么这个人可能会稍微放松一点……我对这些了如指掌，因为我一直在观察。所以这些作品也展现了时间的延续。"

《乔治与玛丽·克里斯蒂》，2002年

《兰德尔·赖特》，2002年

《宾，巴登巴登》，2002年

《弗朗西斯·拉塞尔》，2003年

《杰里米·路易斯，2004年4月于科莫》，2004年

Utt, sept 9. 03

《约翰·菲茨赫伯特》，2003年

《格雷戈里·埃文斯 II》，2003年

"当我画一个人的时候，我从来不说话，尤其是在我画线条的时候。我更喜欢一点噪音都没有，这样我就能更加专注。"

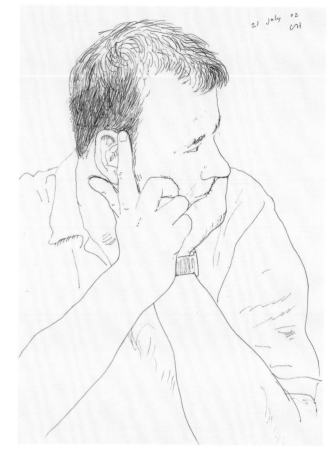

《约翰·菲茨赫伯特》，2002年

　　　　　　　　　　　　写生簿册页：《约翰》，2003年

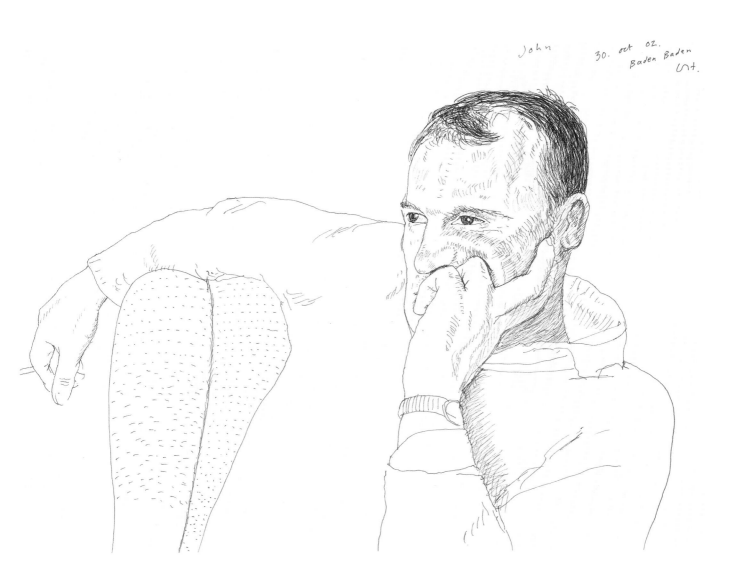

John 30. oct 02.
Baden Baden

《约翰·菲茨赫伯特，巴登巴登》，2002年

《穿着彩色棒球夹克的拉里·斯坦顿》，1976年

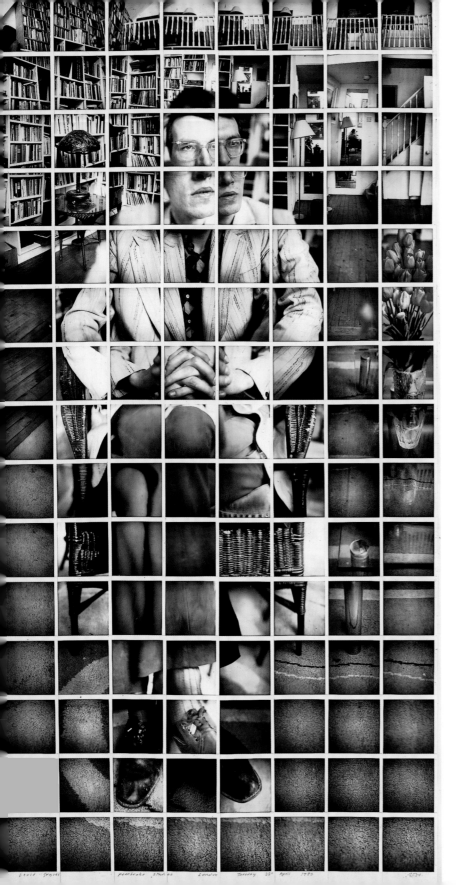

《戴维·格拉夫斯，1982年4月27日，星期二，
伦敦彭布罗克工作室》，1982年

《戴维·格拉夫斯》，
2003年

《德鲁·海因茨，2004年4月于科莫》，
2004年

《诺斯伯纳夫人》，2002年

《德文特·梅》，2003年

《曼努埃拉·罗森塔尔》，2004年

《母亲，1978年7月9日》，1978年

《艺术家的父亲》，1972年

《母亲, 1990年》, 1990年

my mother   sleeping   Los Angeles   Dec 1982   #5   David Hockney.

《母亲 I，1985年8月于约克郡荒原》，
1985年

《我的母亲，布里德灵顿》，1988年

《保罗·霍克尼与孙子蒂莫西，1994年3月7日》，1994年

《让·霍克尼》，1989年

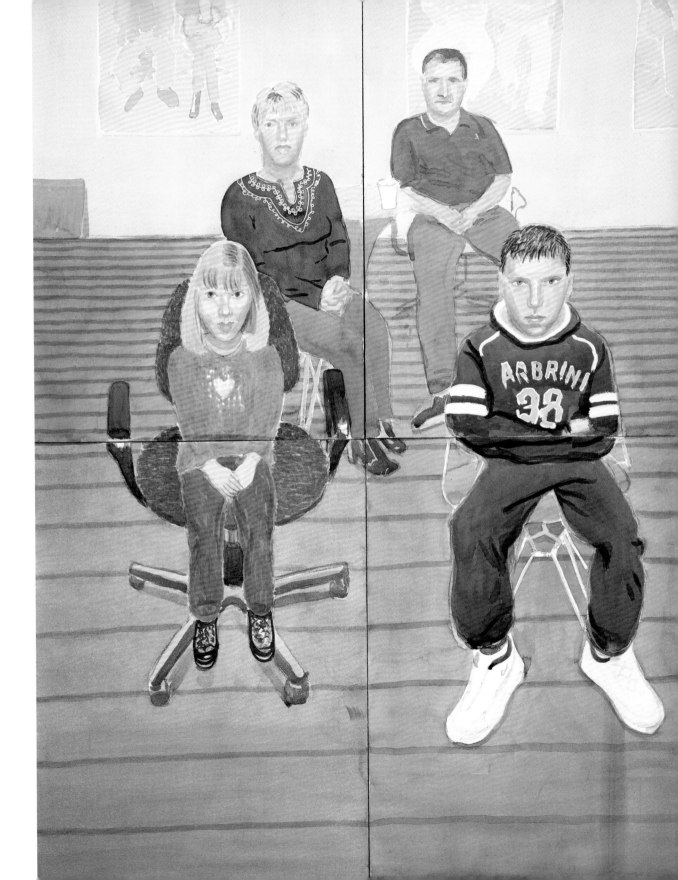

《玛格丽特与肯》，2002年

margaret reading
christmas Day 2003

《正在阅读的玛格丽特,圣诞节》,2003年

"从20世纪50年代开始，每隔几年我就会画一系列自画像。1983年，我得了皮疹，那时的我看上去突然显得更沧桑了。"

《抽烟的自画像》，1983年

《自画像，1999年6月8日于巴登巴登》，1999年

《自画像，1999年6月9日于巴登巴登》，1999年

《自画像，1999年6月10日于巴登巴登》，1999年

276　　　　　《穿黑毛衣的自画像》，2003年　　　　　　　　　　　　　　　《穿红背带裤的自画像》，2003年

写生簿册页：《自画像》，2002年

空间与光线

空间与光线是霍克尼一生专注的两个主题。从画家小时候逃出布拉德福德的街区，徒步和骑自行车去约克郡的沼泽地探险开始，他就一直被风景所吸引。在加利福尼亚州，他找到了他所渴望的广阔空间和明亮光线，并很快定居于此。但是霍克尼也会经常去世界各地考察，探寻新方式来描绘空间、捕捉稍纵即逝的光线和天气。

霍克尼的追寻让他走得很远很远。在埃及，这个国家的历史激励他去描绘古代国王谷的名胜古迹，而现代埃及城镇的繁华街道，激起了画家充满朝气的想象力。在与诗人斯蒂芬·斯彭德（Stephen Spender）一道的中国之旅中，他痴迷于神秘的东方精神，并创作了一部令人回味的视觉旅行日记。无论是在塞维利亚还是西班牙的科尔多瓦，或是在安静的法国或意大利的街道上，南欧的阳光和温暖始终吸引着他，这种强烈而纯粹的光线成为一种永恒的灵感。在北方，斯堪的纳维亚半岛和冰岛那变幻莫测的气候，对他提出了不同的挑战，并要求不同的技术去应对。

当20世纪60年代初霍克尼第一次前往美国西部时，他就描绘了美国西部广阔的土地。其后的作品，如《太平洋海岸公路与圣莫尼卡》（第308—309页）和《尼科尔斯峡谷》（第306页），都轻松地呈现了画家居住地的广袤辽阔，而他那墙壁大小的大峡谷系列作品（第310—313页），让人产生一种仿佛站立于裂缝边缘的眩晕感。

随着时间的推移，霍克尼越发频繁地回到他小时候成长的地方，他的家乡约克郡乡下，那里广阔的远景与遥远的地平线，让画家回想起美国西部。从《盖诺比山》（第349页）和《穿过沃尔德的路》（第347页）等作品中，我们体会到了一种呼吸急促地横跨大地时俯冲直下、横扫一切的感觉，处处都饱览了色彩随着季节更迭而变化的美丽。在这些作品中，和他所有的艺术一样，霍克尼开阔了我们的视野，使我们"看到更广阔的世界"。

"这只是从一本地理书中获得的山的样子，而从明信片可以看出，在扁平表现的背后，真正的山峰很小。这看起来就像是描绘山的地形图，受到了1962年哈罗德（Harold）和伯纳德·科恩（Bernard Cohen）画作的影响。"

《飞往意大利——瑞士景观》，1962年

"埃及是我去过的最激动人心的国家之一,从某种意义上来说,这些古迹是现存已知最古老的建筑……我经常走过去坐在尼罗河畔。在卢克索那里有美丽的日落,我有时就坐在那里看着河流……我总是觉得这能激发我的想象力。我在那里一直画画。"

《壳牌车库,卢克索》,1963年

《吉萨大金字塔与底比斯的破碎头像》，1963年

《金字塔前的斯芬克斯》，1978年

"我甚至喜欢现代的埃及和人民；在我印象中，他们非常有礼貌……我绘制了现代埃及的画像，在我回来后，我画了一幅卢克索咖啡馆的画。"

《埃及咖啡馆》，1978年

"我画了《两张躺椅，卡尔维》，取材于夏天在科西嘉岛和卡尔维拍的照片，当时我和亨利·格尔德扎勒一道。突然间，我看到躺椅靠在墙上，一整天都没打开过，让我觉得它们看起来更像是一个凄美的雕塑。"

《两张躺椅，卡尔维》，1972年

《遮阳伞》，1971年

《塞纳街》，1972年

《法式风格的逆光》，1974年

288

《弗斯滕伯格，巴黎，1985年8月7日、8日与9日》（局部），1985年

写生簿册页：《庭院，塞维利亚》，2004年

《安达卢西亚。喷泉，阿罕布拉，格拉纳达》，2004年

"我去了每一个游客都会去的地方。我去的时候恰好是淡季，所以没有太多的游客。你应该像维多利亚女王一样，在冬天去南方，在夏天去北方，我赞成她的做法。因为这样你就获得了更好的光线。"

"有时我根据记忆作画，有时根据空间做出处理。我不会通过相机观察。我使用大刷子来处理空间关系。"

《安达卢西亚。清真寺, 科尔多瓦》, 2004年

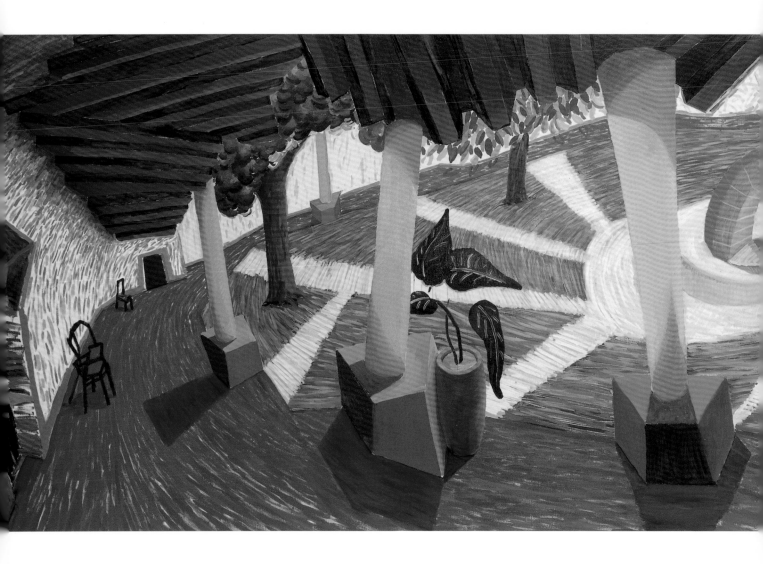

"《漫步》这幅作品并不关乎酒店,而是关乎针对空间的态度。当你承认外部空间的同时,你仍然在里面行走。你注视的时间越长,空间也就显得越大。"

《漫步酒店庭院，阿卡特兰》，1985年

《爱荷华州》，1964年

《亚利桑那州》，1964年

"整幅绘画是源自地理杂志和浪漫主义观念的创造［离我最近的印第安人距离博尔德（Boulder）至少300英里远，我当时正在这个位于落基山脉边缘的迷人校园里教书］。椅子只是为了构图需要，并解释我在这里称这些印第安人非常'疲倦'的含义。我在鸟的身上加了一点错觉；这是一只木头鸟。"

《落基山脉与疲倦的印第安人》，1965年

OLYMPIC BLVD LOS ANGELES

《奥林匹克大道》，1964年

《建设潘兴广场，洛杉矶》，1964年

《德朗普大街，好莱坞》，1976年

"如果你不认识好莱坞山上的人，你就不会上来，因为这里很容易迷路……但是当你生活在这里的时候，你会看到洛杉矶的不同景象。首先，这些蜿蜒的线条似乎进入你的生活，也融入了画面。我开始画《尼科尔斯峡谷》。我拿了一块大画布，在中间画了一条蜿蜒的线，这就是道路的样子。我住在山上，在山下的画室里画画，所以每天往返于山间，经常一天跑三四次。我真切地感受到了那些蜿蜒的线条。"

《尼科尔斯峡谷》，1980年

"你知道，我经常在想，为什么我从一开始的所有时间都去了加利福尼亚呢？那时，我总是说我得去那里，因为它很迷人，阳光明媚。但是洛杉矶也是世界上最空旷的城市。你能感受到非常多的空间。我总是被它的空间所吸引，总是这样。"

《穆赫兰道，1986年6月》，1986年

"对于那些看过我的'瓦格纳驾驶'（Wagner drive）的人来说，《太平洋海岸公路》会立即得到认可——这描绘的就是山峦和圣塔莫妮卡湾的复合景观，当你驾车穿过它们的时候，你可以获得广阔的视野。"

《太平洋海岸公路与圣莫尼卡》，1990年

　　"我决定在一个由60块小画组成的网格上，创作一幅巨大的墙壁作品——部分原因是因为在工作室里它会更容易处理，而且因为和照片拼贴一样，这种立体主义的方法，允许存在60个独立的有利位置，或60个独立的灭点；这会破坏一点透视，但有助于吸引观众的眼球在其中游走。"

"如果从边缘欣赏大峡谷，我想激动就来源于你会看到一个明确的空间，一个有限的空间。我自己坐在那里，看着峡谷，然后感觉仿佛是你在观看，是你的眼睛在移动，是你的头在转动，你觉得这个空间是什么？"

《一个更大的峡谷》，1998年

"你可以从200度的角度看去……从这个角度看去,你不仅可以横着看也可以竖着看,因为你站在一个很大的洞的边缘……因为这是一个200度的视角,它与记忆有关。从某种意义上讲,一旦你转向了,你就必须记住你所看到的,这是它的一部分。令我激动的是我能够看到这么多的空间。"

"这是从鲍威尔点这一特定观察点看到的。事实上,这并不是个显眼的地方。我找到了一个安静的地方坐下。实际上最壮观的景色应当更深入一些。这里真的有数百个更为壮观的景点。我只是找到了一个放椅子的地方。大部分时间我都是独自一人。"

《一个更近的大峡谷》,1998年

313

"1981年5月,斯蒂芬·斯彭德、格雷戈里和我一起在中国待了三个星期。我们受委托合写一本《中国日记》……随着时间的推移,我的画作越来越中国化:我开始使用毛笔和墨法(flicking ink)。"

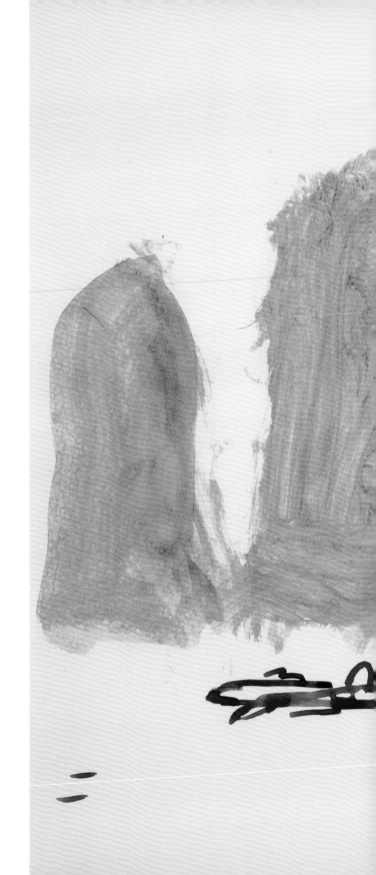

《中国桂林机场》,1981年

"有一个问题，这次旅行是组团的，所以我们总是在到处走，甚至没有留出半小时让我们闲坐；所以我意识到我必须发明一种快速绘制或根据记忆绘制的方法。我开始越来越多地凭借记忆作画。我记得曾去过桂林。我从不知道这是一个如此神奇而美丽的地方。我们从飞机上看到了美丽非凡的风景，我们都很激动……在河上的旅行——整天都在船上——划过最神奇美丽的风景。它就好像孩子们画的山一样。我太喜欢了。"

《插着红旗的船与履带车，中国桂林》，1981年

《中国西安的酒店》（局部），1981年

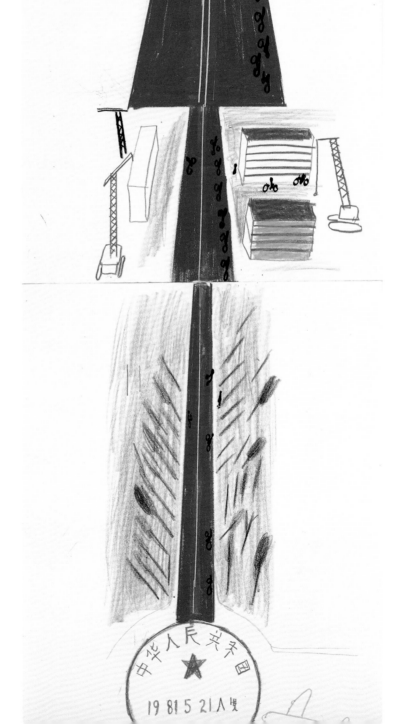

《北京机场路，中国》，
1981年

319

《京都》，1971年

《在京都看下雪的格雷戈里，1983年2月21日》，1983年

《鞋，京都，1983年2月》，1983年

《瀑布研究，斯托尔海姆》，2002年

"如果想要看更长时间的暮色（当颜色还没有变淡而是非常浓艳的时候），必须向北走。2002年5月，我去挪威旅行，被那里激动人心的景观迷住了。当6月太阳从不下山的时候，我又返回那里去了更远的北方。你可以一天24小时随时看风景。在那里没有夜晚。我深深地为此着迷，此后又两次前往冰岛游览这个岛屿。"

《温勒达尔村》，2002年

《大漩涡，博多》，2002年

《海湾，康美威》，2002年

《北角县附近的塔夫峡湾》，2002年

《薄雾，斯托尔海姆》，2002年

《山谷，斯托尔海姆I》，2002年

《落日，中峡湾》，2003年

　《中峡湾，桦树，第二版》，2003年

《房屋研究，中峡湾》，2003年

《云，西峡湾》，2003年

写生簿册页:《薄雾,冰岛》,2002年

《众神瀑布，冰岛》，2002年

《黑色冰川1》，2002年

《樱花》，2002年

《圣约翰的尖顶和树》，2002年

《沃尔德路》，2003年

"从20世纪50年代初开始，我就非常熟悉这个乡村，当时我会在学校休息时间来这里工作——帮忙收割玉米、小麦、大麦。我曾经把它们运送到布里德灵顿。"

《灰色的太阳，东约克郡》，2003年

《北约克郡》，1997年

《穿过沃尔德的路》，1997年

"约克郡是一个坐落在大平原上的城市。约克谷，这是一个非常平坦的地区。河谷东边的盖诺比山是由白垩堆积起来的山，大概海拔800英尺左右。在晴朗的日子，你也许能看到五六十英里开外，这对英国而言是一段很长的距离了。在地平线上，你可以看到大教堂，约克大教堂。"

《盖诺比山》，1998年

"斯莱德米尔是距布里德灵顿约15英里的一个村庄，据我所知，50年来那里一直没有改变。在8月下旬至9月，那里阳光明媚，爱德华时期的红砖房子，涂着红色油漆，更加光彩照人。那里也有绝妙的绿色，洗刷过的绿色植物，变化的土地，以及肥沃的土壤。"

《穿过斯莱德米尔通往约克郡的道路》，1997年

"我一直认为艺术应该是一种深层的愉悦。我认为彻底绝望的艺术是充满矛盾的，因为事实上艺术似乎与绝望相互矛盾。"

《通往拉斯顿的路，23 III 04》，2004年

《教堂与街道，基勒姆》，2003年

写生簿册页：《春天，东约克郡》，2004年

《无题》，2004年

"我相信绘画可以改变世界。如果你眼中的世界是美丽的,激动而又神秘的,正如我想的那样,那么你会觉得充满活力。"

《有水坑的好天气,2 IV 04》,
2004年

插图目录

Pool, Los Angeles, April 12th 1982)，1982 年，合成宝丽来照片，62.9 厘米 ×92.7 厘米（24¾ 英寸 ×36½ 英寸）

84 《即将泼向王子的冷水》(Cold Water about to Hit the Prince)，1969 年，选自《格林兄弟的六仙女故事插图》(Illustrations for Six Fairy Tales from the Brothers Grimm)，黑白蚀刻画，62.2 厘米 ×45.1 厘米（24½ 英寸 ×17¾ 英寸）

85 《草坪洒水器》(A Lawn Sprinkler)，1967 年，布面丙烯，121.9 厘米 ×121.9 厘米（48 英寸 ×48 英寸）

86 《倒入泳池的不同种类的水，圣莫尼卡》(Different Kinds of Water Pouring into a Swimming Pool, Santa Monica)，1965 年，布面丙烯，182.8 厘米 ×152.4 厘米（72 英寸 ×60 英寸）

87 《强调静止的图片》(Picture Emphasizing Stillness)，1962 年，布面油画与激光打印，182.8 厘米 ×157.5 厘米（72 英寸 ×62 英寸）

88 《求助》(Help)，1962 年，布面油画、墨水与激光打印，31.8 厘米 ×24.8 厘米（12½ 英寸 ×9¾ 英寸）

89 《1961 年 3 月 24 日清晨跳的恰恰舞》(The Cha Cha that was Danced in the Early Hours of 24th March, 1961)，1961 年，布面油画,172.7 厘米 ×153.7 厘米（68 英寸 ×60½ 英寸）

90—91 《布拉德福德弹跳，1987 年 2 月》(Bradford Bounce, Feb. 1987)，1987 年，有色新闻纸，38.1 厘米 ×55.9 厘米（15 英寸 ×22 英寸）

92—93 《两位舞者》(Two Dancers)，1980 年，布面油画，121.9 厘米 ×182.8 厘米（48 英寸 ×72 英寸）

94 《华尔兹》(Waltz)，1980 年，布面油画，92.7 厘米 ×62.5 厘米（36½ 英寸 ×24⅝ 英寸）

95 《溜冰者，纽约，1982 年 12 月》(The Skater, NY, Dec.1982)，1982 年，摄影拼贴，59.7 厘米 ×43.2 厘米（23½ 英寸 ×17 英寸）

96 《静物和电视》(Still Life with T.V.)，1969 年，布面丙烯，121.9 厘米 ×152.4 厘米（48 英寸 ×60 英寸）

97 《书桌,1984 年 7 月 1 日》(The Desk, July 1st 1984)，1984 年，摄影拼贴，121.9 厘米 ×116.8 厘米（48 英寸 ×46 英寸）

98—99 《穆赫兰道：通往工作室的道路》(Mulholland Drive: The Road to the Studio)，1980 年，布面丙烯，218.4 厘米 ×617.2 厘米（86 英寸 ×243 英寸）

100—101 《在龙安寺禅意花园散步，京都，1983 年 2 月》(Walking in the Zen Garden at the Ryoanji Temple, Kyoto, Feb. 1983)，1983 年,摄影拼贴,101.6 厘米 ×158.8 厘米（40 英寸 ×62½ 英寸）

102 《摄影之眼》(Photography Eyes)（局部），1985 年，纸本毡头笔，36.8 厘米 ×43.2 厘米（14½ 英寸 ×17 英寸）

103 《黄色吉他静物，洛杉矶，1982 年 4 月 3 日》(Yellow Guitar Still Life, Los Angeles, 3rd April 1982)，1982 年，合成宝丽来照片，72.4 厘米 ×44.5 厘米（28½ 英寸 ×17½ 英寸）

104 《椅子，巴黎卢森堡公园，1985 年 8 月 10 日》(Chair, Jardin de Luxembourg, Paris, 10th August 1985)，1985 年，摄影拼贴，80 厘米 ×64.8 厘米（31½ 英寸 ×25½ 英寸）

105 左图《椅子》(The Chair)，1985 年，布面油画，121.9 厘米 ×91.4 厘米（48 英寸 ×36 英寸）

105 中图《凡·高的椅子》(Van Gogh Chair)，1988 年，布面丙烯，121.9 厘米 ×91.4 厘米（48 英寸 ×36 英寸）

105 右图《高更的椅子》(Gauguin's Chair)，1988 年，布面丙烯，121.9 厘米 ×91.4 厘米（48 英寸 ×36 英寸）

106 《两把彭布罗克工作室的椅子》(Two Pembroke Studio Chairs)，1984 年，平版画，46.9 厘米 ×55.9 厘米（18½ 英寸 ×22 英寸），© 大卫·霍克尼／泰勒图像有限公司

107 《帕姆戴尔市 229 号房间,加利福尼亚州,1986 年 4 月 11 日》(Room 229 Palmdale, Calif., 11th April 1986)，1986 年，摄影拼贴，101.9 厘米 ×85.7 厘米（40 ⅛英寸 ×33¾ 英寸）

108—109 《梨花公路，1986 年 4 月 11—18 日（第二版）》[Pearblossom Highway, 11 - 18th April 1986 (Second Version)]，1986 年，摄影拼贴，181.6 厘米 ×271.8 厘米（71½ 英寸 ×107 英寸）。© 大卫·霍克尼，J·保罗·盖蒂博物馆收藏，加利福尼亚州洛杉矶

110 《伊夫－马力与马克，巴黎，1975 年 10 月》(Yves-Marie and Mark, Paris, Oct 1975)，1975 年，纸本红色孔特粉笔，64.7 厘米 ×49.5 厘米（25½ 英寸 ×19½ 英寸）

112 《正在淋浴的美国男孩》(American Boys Showering)，1963 年，纸本铅笔与蜡笔，50.2 厘米 ×31.8 厘米（19¾ 英寸 ×12½ 英寸）

113 《两个正在洗澡的男人》(Two Men in a Shower)，1963 年，布面油画，152.4 厘米 ×152.4 厘米（60 英寸 ×60 英寸）

114 《洗澡的男人》(Man Taking Shower)，1965 年，布面丙烯，152.4 厘米 ×121.9 厘米（60 英寸 ×48 英寸）

115 《裸体男孩，洛杉矶》(Nude Boy, Los Angeles, 1964)，1964 年，纸本铅笔和蜡笔，31.1 厘米 ×25.4 厘米（12¼ 英寸 ×10 英寸）

116 《在达尔村》(In the Dull Village)，1966—1967 年，选自《C. P. 卡瓦菲斯的十四行诗插图》(Illustrations for Fourteen Poems from C. P. Cavafy)，蚀刻画，57.2 厘米 ×39.4 厘米（22½ 英寸 ×15½ 英寸）

117 《两个 23 或 24 岁的男孩》(Two Boys Aged 23 or 24)，1966—1967 年，选自《C. P. 卡瓦菲斯的十四行诗插图》，蚀刻画，80 厘米 ×57.2 厘米（31½ 英寸 ×22½ 英寸）

118 《家庭场景，洛杉矶》(Domestic Scene, Los Angeles)，1963 年，布面油画，152.4 厘米 ×152.4 厘米（60 英寸 ×60 英寸）

119 《家庭场景，布罗德查尔克，威尔特郡》(Domestic Scene, Broadchalke, Wilts)，1963 年，布面油画，182.8 厘米 ×182.8 厘米（72 英寸 ×72 英寸）

120 《柏林：一次纪念》(Berlin: A Souvenir)，1962 年，布面油画，213.3 厘米 ×213.3 厘米（84 英寸 ×84 英寸）

121 《今晚要成为女王》(Going to be a Queen for Tonight)，1960 年，木板油画，121.9 厘米 ×91.4 厘米（48 英寸 ×36 英寸）

122 《娃娃男孩》(Doll Boy)，1960—1961 年，布面油画，12.9 厘米 ×99.1 厘米（48 英寸 ×39 英寸）

123 《第四幅爱情绘画》(The Fourth Love Painting)，1961 年，布面油画与激光打印，91.4 厘米 ×71.4 厘米（36 英寸 ×28 ⅛ 英寸）

124 《正与鲍勃·霍尔曼谈话的克里斯托弗·伊舍伍德，圣莫尼卡，1983 年 3 月 14 日》(Christopher Isherwood Talking to Bob Holman, Santa Monica, Mar 14th, 1983)（局部），1983 年，摄影拼贴，110.5 厘米 ×163.8 厘米（43½ 英寸 ×64½ 英寸）

125 《克里斯托弗·伊舍伍德与唐·巴卡迪》(Christopher Isherwood and Don Bachardy)，1968 年，布面丙烯，212 厘米 ×303.5 厘米（83½ 英寸 ×119½ 英寸）

126 《加州艺术收藏家》(California Art Collector)，1964 年，布面丙烯，152.4 厘米 ×182.8 厘米（60 英寸 ×72 英寸）

127 《美国收藏家（弗雷德·韦斯曼和马西娅·韦斯曼）》[American Collectors (Fred and Marcia Weisman)]，1968 年，布面丙烯，213.3 厘米 ×304.8 厘米（84 英寸 ×120 英寸）

128 《弗雷德里克·阿什顿和韦恩·斯利普》(Frederick Ashton and Wayne Sleep)，1968 年，纸本墨水，43.2 厘米 ×35.6 厘米（17 英寸 ×14 英寸）

129 《乔治·劳森研究》(Study of George Lawson)，1977 年，布面油画，101.6 厘米 ×127 厘米（40 英寸 ×50 英寸）

130—131 《克拉克和珀西夫妇》(Mr and Mrs Clark and Percy)，1970—1971 年，布面丙烯，213.3 厘米 ×304.8 厘米（84 英寸 ×120 英寸）

132 《亨利与莫，瑞雷尔山庄》(Henry and Mo, Villa Reale)，

1973 年，纸本彩铅，35.6 厘米 ×43.2 厘米（14 英寸 ×17 英寸）

133 《在船上的尼克与亨利。很高兴到卡尔维，1972 年 7 月 18 日》(Nick and Henry on Board. Nice to Calvi, July 18th 1972)，1972 年，纸本墨水，43.2 厘米 ×35.6 厘米（17 英寸 ×14 英寸）

134—135 《雪莉·戈德法布与格里高利·马苏罗夫斯基》(Shirley Goldfarb and Gregory Masurovsky)，1974 年，布面丙烯，114.3 厘米 ×213.3 厘米（45 英寸 ×84 英寸）

136 《雨中的艺术桥》(Il Pleut sur le Pont des Arts)，1974 年，纸本蜡笔，43.2 厘米 ×35.6 厘米（17 英寸 ×14 英寸）

137 《雨中的伊夫－马力》(Yves-Marie in the Rain)，1973 年，布面油画，121.9 厘米 ×152.4 厘米（48 英寸 ×60 英寸）

138—139 写生簿册页：《出租车，肯辛顿》(Sketchbook page: 'Taxi, Kensington')，2002 年，纸本墨水，10.8 厘米 ×15.2 厘米（4¼ 英寸 ×6 英寸）

140 上图,写生簿册页：《维多利亚和阿尔伯特博物馆》(Sketchbook page: 'V & A')，2002 年，纸本墨水，10.8 厘米 ×15.2 厘米（4¼ 英寸 ×6 英寸）

140 下图，写生簿册页：《泰特美术馆的庚斯博罗展览》(Sketchbook page: 'Gainsborough exhibition Tate')，2002 年,纸本墨水，10.8 厘米 ×15.2 厘米（4¼ 英寸 ×6 英寸）

141 上图，写生簿册页：《街上的人》(Sketchbook page: 'People on the Street')，2003 年，纸本墨水与水彩，10.8 厘米 ×15.2 厘米（4¼ 英寸 ×6 英寸）

141 下图，写生簿册页：《街上的人》(Sketchbook page: 'People on the Street')，2003 年，纸本墨水与水彩，10.8 厘米 ×15.2 厘米（4¼ 英寸 ×6 英寸）

142—143 写生簿册页：《科摩》(Sketchbook page: 'Como')，2003 年，纸本墨水，10.8 厘米 ×15.2 厘米（4¼ 英寸 ×6 英寸）

144 《镜子，卡萨桑蒂尼》(Mirror, Casa Santini)，1973 年，布面丙烯，152.4 厘米 ×121.9 厘米（60 英寸 ×48 英寸）

145 《维希矿泉水和"霍华德庄园"，卡雷纳克》(Vichy Water and 'Howard's End', Carennac)，1970 年，纸本墨水，35.6 厘米 ×43.2 厘米（14 英寸 ×17 英寸）

146 《椅子，马穆尼亚酒店，马拉喀什》(Chairs, Mamounia Hotel, Marrakesh)，1971 年，纸本蜡笔，35.6 厘米 ×43.2 厘米（14 英寸 ×17 英寸）

147 《富士山和花》(Mt. Fuji and Flowers)，1972 年，布面丙烯，152.4 厘米 ×121.9 厘米（60 英寸 ×48 英寸）

148 写生簿册页：《马蒂斯与静物》(Sketchbook page: 'Still Life with Matisse')，1985 年,纸本粉彩，33 厘米 ×59.1 厘米（13 英寸 ×23¼ 英寸）

149 《从五月花酒店向外看，纽约（傍晚）》[View from Mayflower Hotel, New York (Evening)]，2002 年，纸本水彩和蜡笔，61 厘米 ×46 厘米（24 英寸 ×18 ⅛英寸）

150 《仙客来，五月花酒店，纽约》(Cyclamen, Mayflower Hotel, New York)，2002 年，纸本水彩和蜡笔，50.8 厘米 ×35.6 厘米（20 英寸 ×14 英寸）

151 《维特瓶》(The Vittel Bottle)，1995 年，布面油画，54.6 厘米 ×33 厘米（21½ 英寸 ×13 英寸）

152 《花瓶和花》(Vase and Flowers)，1969 年，黑白蚀刻画，90.2 厘米 ×71.1 厘米（35½ 英寸 ×28 英寸）

153 《静物与书》(Still Life with Book)，1973 年，平版画，81.3 厘米 ×63.5 厘米（32 英寸 ×25 英寸）

154 《舞动的花朵，1986 年 5 月》(Dancing Flowers, May 1986)，1986 年,彩色复印机自制打印，55.9 厘米 ×64.7 厘米（22 英寸 ×25½ 英寸）（6 块）

155 《绿色和蓝色的植物》(Green and Blue Plant)，1987 年，布面丙烯，61 厘米 ×91.4 厘米（24 英寸 ×36 英寸）

156 上图《五盆挂着彩灯的盆景（山）》[5 Bonsai with Fairy

本炭笔，76.2 厘米 ×57.2 厘米 (30 英寸 ×22½ 英寸)

234 《莫里斯·佩恩》(*Maurice Payne*)，1971 年，蚀刻画，88.9 厘米 ×71.1 厘米 (35 英寸 ×28 英寸)

235 《莫里斯·佩恩，1994 年 2 月 6 日》(*Maurice Payne, 6th Feb 1994*)，1994 年，纸本蜡笔，76.8 厘米 ×57.2 厘米 (30¼ 英寸 ×22½ 英寸)

236 《乔纳森·西尔弗，1993 年 12 月 30 日》(*Jonathan Silver, Dec 30th 1993*)，1993 年，纸本蜡笔，76.8 厘米 ×57.2 厘米 (30¼ 英寸 ×22½ 英寸)

237 《乔纳森·西尔弗，1997 年 2 月 27 日》(*Jonathan Silver, February 27, 1997*)，1997 年，布面油画，34.9 厘米 ×27.3 厘米 (13¾ 英寸 ×10¾ 英寸)

238 《诺曼·罗森塔尔，1999 年 5 月 29 日于伦敦》(*Norman Rosenthal. London. 29th May 1999*)，1999 年，灰纸铅笔与白粉笔，使用投影转画仪，49.5 厘米 ×39.4 厘米 (19½ 英寸 ×15½ 英寸)

239 左上图《埃德娜·奥布赖恩，1999 年 5 月 28 日于伦敦》(*Edna O' Brien. London. 28th May 1999*)，1999 年，灰纸铅笔，使用投影转画仪，54.3 厘米 ×38.4 厘米 (21⅜英寸 ×15⅛英寸)

239 右上图《唐·巴卡迪，1999 年 7 月 28 日于洛杉矶》(*Don Bachardy. Los Angeles. 28th July 1999*)(局部)，1999 年，灰纸铅笔与白粉笔，使用投影转画仪，56.5 厘米 ×38.1 厘米 (22¼ 英寸 ×15 英寸)

239 左下图《理查德·施密特，1999 年 7 月 16 日于洛杉矶》(*Richard Schmidt. Los Angeles. 16th July 1999*)，1999 年，灰纸铅笔，使用投影转画仪，56.5 厘米 ×37.5 厘米 (22¼ 英寸 ×14¾ 英寸)

239 右下图《菲利普·霍克尼，1999 年 10 月 7 日于澳大利亚》(*Philip Hockney. Australia. 7th October 1999*)(局部)，1990 年，灰纸铅笔，使用投影转画仪，50.8 厘米 ×38.1 厘米 (20 英寸 ×15 英寸)

240 左图《尼科斯·斯坦戈斯》(*Nikos Stangos*)，1989 年，布面油画，41.9 厘米 ×26.7 厘米 (16½ 英寸 ×10½ 英寸)

240 右图《乔治·克拉克 II》(*George Clark II*)，1989 年，布面油画，41.9 厘米 ×26.7 厘米 (16½ 英寸 ×10½ 英寸)

241 《凯伦·赖特》(*Karen Wright*)，2002 年，纸本水彩，61 厘米 ×46 厘米 (24 英寸 ×18⅛英寸)

242 《迈克·伊佐 IV》(*Mike Izzo IV*)，2003 年，纸本水彩 (2 块)，61 厘米 ×92 厘米 (24 英寸 ×36¼ 英寸)

243 左图《安德鲁·马尔》(*Andrew Marr*)，2002 年，纸本水彩 (2 块)，121.9 厘米 ×46 厘米 (48 英寸 ×18⅛英寸)

243 右图《等画变干的林迪》(*Lindy Watching Paint Dry*)，2003 年，纸本水彩 (2 块)，121.9 厘米 ×46 厘米 (48 英寸 ×18⅛英寸)

244 《乔治·穆德》(*George Mulder*)，2002 年，纸本墨水与水彩，61 厘米 ×46 厘米 (24 英寸 ×18⅛英寸)

245 《乔治与玛丽·克里斯蒂》(*George and Mary Christie*)，2002 年，纸本水彩 (4 块)，121.9 厘米 ×91.4 厘米 (48 英寸 ×36 英寸)

246 《兰德尔·赖特》(*Randall Wright*)，2002 年，纸本墨水与水彩，36.5 厘米 ×26 厘米 (14⅜英寸 ×10¼ 英寸)

247 《宾，巴登巴登》(*Bing, Baden Baden*)，2002 年，纸本墨水 (2 块)，59.7 厘米 ×26 厘米 (23½ 英寸 ×10¼ 英寸)

248 《弗朗西斯·拉塞尔》(*Francis Russell*)，2003 年，纸本墨水与水彩，41 厘米 ×31.1 厘米 (16⅛英寸 ×12¼ 英寸)

249 《杰里米·路易斯，2004 年 4 月于科莫》(*Jeremy Lewis, Como, April 2004*)，2004 年，纸本墨水与水彩，41 厘米 ×31 厘米 (16⅛英寸 ×$12\frac{3}{16}$ 英寸)

250 《约翰·菲茨赫伯特》(*John Fitzherbert*)，2003 年，纸本水彩，106 厘米 ×75.6 厘米 (41¾ 英寸 ×29¾ 英寸)

251 《格雷戈里·埃文斯 II》(*Gregory Evans II*)，2003 年，纸本水彩，106 厘米 ×75.6 厘米 (41¾ 英寸 ×29¾ 英寸)

252 上图《约翰·菲茨赫伯特》(*John Fitzherbert*)，2002 年，纸本墨水，36.3 厘米 ×26 厘米 (14¼ 英寸 ×10¼ 英寸)

252 下图，写生簿册页：《约翰》(*Sketchbook page: 'John'*)，2003 年，纸本墨水，10.8 厘米 ×15.2 厘米 (4¼ 英寸 ×6 英寸)

253 《约翰·菲茨赫伯特，巴登巴登》(*John Fitzherbert, Baden Baden*)，2002 年，纸本墨水，26 厘米 ×36.2 厘米 (10¼ 英寸 ×14¼ 英寸)

254 《卡伦·S. 库尔曼》(*Karen S. Kuhlman*)，2003 年，纸本水彩，105.7 厘米 ×75.6 厘米 (41⅝英寸 ×29¾ 英寸)

255 《穿着彩色棒球夹克的拉里·斯坦顿》(*Larry Stanton, Wearing a Colourful Baseball Jacket*)，1976 年，纸本彩铅，43.2 厘米 ×35.6 厘米 (17 英寸 ×14 英寸)

256 《戴维·格拉夫斯，1982 年 4 月 27 日，星期二，伦敦彭布罗克工作室》(*David Graves, Pembroke Studios, London, Tuesday, 27th April 1982*)，1982 年，合成宝丽来照片，131.4 厘米 ×66.7 厘米 (51¼ 英寸 ×26¼ 英寸)

257 《戴维·格拉夫斯》(*David Graves*)，2003 年，纸本水彩，105.4 厘米 ×75.2 厘米 (41½ 英寸 ×29⅝英寸)

258 《德鲁·海因茨，2004 年 4 月于科莫》(*Drue Heinz, Como, April 2004*)，2004 年，纸本墨水与水彩，41 厘米 ×31 厘米 (16⅛英寸 ×$12\frac{3}{16}$ 英寸)

259 《诺斯伯纳夫人》(*Lady Northbourne*)，2002 年，纸本墨水，36.2 厘米 ×26 厘米 (14¼ 英寸 ×10¼ 英寸)

260 《德文特·梅》(*Derwent May*)，2003 年，纸本墨水与水彩，41 厘米 ×31.1 厘米 (16⅛英寸 ×12¼ 英寸)

261 《曼努埃拉·罗森塔尔》(*Manuela Rosenthal*)，2004 年，纸本水彩，74.9 厘米 ×105.4 厘米 (29½ 英寸 ×41½ 英寸)

262 《母亲，1978 年 7 月 9 日》(*Mother, July 9, 1978*)，1978 年，纸本墨水，43.2 厘米 ×35.6 厘米 (17 英寸 ×14 英寸)

263 《艺术家的父亲》(*The Artist's Father*)，1972 年，纸本墨水，43.2 厘米 ×35.6 厘米 (17 英寸 ×14 英寸)

264 《母亲，1990 年》(*Mum, 1990*)，1990 年，布面油画，91.4 厘米 ×61 厘米 (36 英寸 ×24 英寸)

265 《沉睡中的母亲，1982 年 12 月于洛杉矶》(*My Mother Sleeping, Los Angeles, Dec. 1982*)，1982 年，摄影拼贴，58.4 厘米 ×58.4 厘米 (23 英寸 ×23 英寸)

266 《母亲 I，1985 年 8 月于约克郡荒原》(*Mother I, Yorkshire Moors, August 1985*)，1985 年，摄影拼贴，46.9 厘米 ×33 厘米 (18½ 英寸 ×13 英寸)

267 《我的母亲，布里德灵顿》(*My Mother, Bridlington*)，1988 年，布面油画，76.2 厘米 ×50.8 厘米 (30 英寸 ×20 英寸)

268 左图《保罗·霍克尼与孙子蒂莫西，1994 年 3 月 7 日》(*Paul Hockney and Grandson Timothy, 7 March 94*)，1994 年，纸本粉笔，76.8 厘米 ×57.2 厘米 (30¼ 英寸 ×22½ 英寸)

268 右图《让·霍克尼》(*Jean Hockney*)，1989 年，布面油画，41.9 厘米 ×26.7 厘米 (16½ 英寸 ×10½ 英寸)

269 《劳伦，道恩，西蒙与马修·霍克尼》(*Lauren, Dawn, Simon and Matthew Hockney*)，2003 年，纸本水彩 (4 块)，121.9 厘米 ×92 厘米 (48 英寸 ×36¼ 英寸)

270 《玛格丽特与肯》(*Margaret and Ken*)，2002 年，纸本墨水与水彩，46 厘米 ×61 厘米 (18⅛英寸 ×24 英寸)

271 《正在阅读的玛格丽特，圣诞节》(*Margaret Reading, Christmas Day*)，2003 年，纸本铅笔，35.9 厘米 ×50.8 厘米 (14⅛英寸 ×20 英寸)

272 《抽烟的自画像》(*Self-portrait with Cigarette*)，1983 年，纸本炭笔，76.2 厘米 ×57.2 厘米 (30 英寸 ×22½ 英寸)

273 《镜中自画像》(*Self-portrait in Mirror*)，2003 年，纸本水彩，61 厘米 ×46 厘米 (24 英寸 ×18⅛英寸)

274 上图《自画像，1999 年 6 月 8 日于巴登巴登》(*Self-portrait, Baden-Baden, 8th June 1999*)，1999 年，灰色纸本铅笔，28.6 厘米 ×38.1 厘米 (11¼ 英寸 ×15 英寸)

274 下图《自画像，1999 年 6 月 9 日于巴登巴登》(*Self-portrait, Baden-Baden, 9th June 1999*)，1999 年，灰色纸本铅笔，28.6 厘米 ×38.1 厘米 (11¼ 英寸 ×15 英寸)

275 《自画像，1999 年 6 月 10 日于巴登巴登》(*Self-portrait, Baden-Baden, 10th June 1999*)，1999 年，灰色纸本铅笔，38.1 厘米 ×28.6 厘米 (15 英寸 ×11¼ 英寸)

276 左图《穿黑毛衣的自画像》(*Self-portrait in Black Sweater*)，2003 年，纸本水彩，61 厘米 ×46 厘米 (24 英寸 ×18⅛英寸)

276 右图《穿红背带裤的自画像》(*Self-portrait with Red Braces*)，2003 年，纸本水彩，61 厘米 ×46 厘米 (24 英寸 ×18⅛英寸)

277 写生簿册页：《自画像》(*Sketchbook page: 'Self-portrait'*)，2002 年，纸本墨水，10.8 厘米 ×15.2 厘米 (4¼ 英寸 ×6 英寸)

278 《飞往意大利——瑞士景观》(*Flight into Italy–Swiss Landscape*)，1962 年，布面油画，182.8 厘米 ×182.8 厘米 (72 英寸 ×72 英寸)

280 《壳牌车库，卢克索》(*Shell Garage, Luxor*)，1963 年，蜡笔，31.1 厘米 ×48.9 厘米 (12¼ 英寸 ×19¼ 英寸)

281 《吉萨大金字塔与底比斯的破碎头像》(*Great Pyramid at Giza with Broken Head from Thebes*)，1963 年，布面油画，182.8 厘米 ×182.8 厘米 (72 英寸 ×72 英寸)

282 《金字塔前的斯芬克斯》(*Sphinx in Front of the Pyramids*)，1978 年，纸本棕色墨水，35.6 厘米 ×43.2 厘米 (14 英寸 ×17 英寸)

283 《埃及咖啡馆》(*Egyptian Cafe*)，1978 年，布面油画，91.4 厘米 ×121.9 厘米 (36 英寸 ×48 英寸)

284 《两张躺椅，卡尔维》(*Two Deckchairs, Calvi*)，1972 年，布面丙烯，121.9 厘米 ×152.4 厘米 (48 英寸 ×60 英寸)

285 《遮阳伞》(*Beach Umbrella*)，1971 年，布面丙烯，121.9 厘米 ×90.8 厘米 (48 英寸 ×35¾ 英寸)

286 《塞纳街》(*Rue de Seine*)，1972 年，凹版蚀刻画，53.3 厘米 ×44.5 厘米 (21 英寸 ×17½ 英寸)

287 《法式风格的逆光》(*Contre-Jour in the French Style*)，1974 年，蚀刻画，99.1 厘米 ×91.4 厘米 (39 英寸 ×36 英寸)

288—289 《弗斯滕伯格，巴黎，1985 年 8 月 7 日、8 日与 9 日》(*Place Furstenberg, Paris, August 7th, 8th and 9th, 1985*)(局部)，1985 年，摄影拼贴，110.5 厘米 ×155.8 厘米 (43½ 英寸 ×61⅜英寸)

290—291 写生簿册页：《庭院，塞维利亚》(*Sketchbook page: 'Courtyard, Seville'*)，2004 年，纸本水彩，10.8 厘米 ×15.2 厘米 (4¼ 英寸 ×6 英寸)

292—293 《安达卢西亚。喷泉，阿罕布拉，格拉纳达》(*Andalucia. Fountain, Alhambra, Granada*)，2004 年，纸本水彩 (2 块)，74.9 厘米 ×210.8 厘米 (29½ 英寸 ×83 英寸)

294—295 《安达卢西亚。清真寺，科尔多瓦》(*Andalucia. Mosque, Cordova*)，2004 年，纸本水彩 (2 块)，74.9 厘米 ×210.8 厘米 (29½ 英寸 ×83 英寸)

296—297 《漫步酒店庭院，阿卡特兰》(*A Walk around the Hotel Courtyard, Acatlan*)，1985 年，双联布面油画，182.8 厘米 ×609.6 厘米 (72 英寸 ×240 英寸)

298 《爱荷华州》(*Iowa*)，1964 年，布面丙烯，152.4 厘米 ×152.4 厘米 (60 英寸 ×60 英寸)

299 《亚利桑那州》(*Arizona*)，1964 年，布面丙烯，152.4 厘米 ×152.4 厘米 (60 英寸 ×60 英寸)

300—301 《落基山脉与疲倦的印第安人》(*Rocky Mountains and Tired Indians*)，1965 年，布面丙烯，170.2 厘米 ×252.7 厘米 (67 英寸 ×99½ 英寸)

302 《奥林匹克大道》(*Olympic Boulevard*)，1964 年，布

面丙烯，91.4 厘米 ×61 厘米 (36 英寸 ×24 英寸)

303 《建设潘兴广场，洛杉矶》(Building Pershing Square, Los Angeles)，1964 年，布面丙烯，147.3 厘米 ×147.3 厘米 (58 英寸 ×58 英寸)

304 《德朗普大街，好莱坞》(De Longpre Avenue, Hollywood)，1976 年，纸本蜡笔与铅笔，43.2 厘米 ×35.6 厘米 (17 英寸 ×14 英寸)

305 《汉考克街，西好莱坞，I》(Hancock St, West Hollywood, I)，1989 年，布面油画，41.9 厘米 ×26.7 厘米 (16½ 英寸 ×10½ 英寸)

306 《尼科尔斯峡谷》(Nichols Canyon)，1980 年，布面丙烯，213.3 厘米 ×152.4 厘米 (84 英寸 ×60 英寸)

307 《穆赫兰道，1986 年 6 月》(Mulholland Drive, June 1986)，1986 年，彩色复印机自制打印，27.9 厘米 ×43.2 厘米 (11 英寸 ×17 英寸)

308—309 《太平洋海岸公路与圣莫尼卡》(Pacific Coast Highway and Santa Monica)，1990 年，布面油画，198.1 厘米 ×304.8 厘米 (78 英寸 ×120 英寸)

310—311 《一个更大的峡谷》(A Bigger Grand Canyon)，1998 年，60 块布面油画，整体 207 厘米 ×744 厘米 (81½ 英寸 ×293 英寸)

312—313 《一个更近的大峡谷》(A Closer Grand Canyon)，1998 年，60 块布面油画，整体 207 厘米 ×744 厘米 (81½ 英寸 ×293 英寸)

314—315 《中国桂林机场》(Kweilin Airport, China)，1981 年，纸本水彩，35.6 厘米 ×43.2 厘米 (14 英寸 ×17 英寸)

316—317 《插着红旗的船与履带车，中国桂林》(Boat with Red Flag and Caterpillar, Kweilin, China)，1981 年，水彩薄涂与纸本粉笔，35.6 厘米 ×43.2 厘米 (14 英寸 ×17 英寸)

318 《中国西安的酒店》(Hotel at Sian, China) (局部)，1981 年，纸本水彩，35.6 厘米 ×43.2 厘米 (14 英寸 ×17 英寸)

319 《北京机场路，中国》(Road from Peking Airport, China)，1981 年，纸本粉笔，86.4 厘米 ×35.6 厘米 (34 英寸 ×14 英寸)

320 《京都》(Kyoto)，1971 年，纸本彩铅，35.6 厘米 ×43.2 厘米 (14 英寸 ×17 英寸)

321 《1983 年 2 月 19 日，坐在京都龙安寺禅意花园》(Sitting in the Zen Garden at the Ryoanji Temple, Kyoto, Feb 19, 1983)，1983 年，摄影拼贴，144.8 厘米 ×116.8 厘米 (57 英寸 ×46 英寸)

322 《在京都看下雪的格雷戈里，1983 年 2 月 21 日》(Gregory Watching the Snow Fall, Kyoto, Feb 21, 1983)，1983 年，110.5 厘米 ×118.1 厘米 (43½ 英寸 ×46½ 英寸)

323 《鞋，京都，1983 年 2 月》(Shoes, Kyoto, Japan, Feb. 1983)，1983 年，摄影拼贴，111.8 厘米 ×99.1 厘米 (44 英寸 ×39 英寸)

324 《瀑布研究，斯托尔海姆》(Study of Waterfall, Stalheim)，2002 年，纸本水彩，41 厘米 ×30.8 厘米 (16 ⅛ 英寸 ×12 ⅛ 英寸)

325 《温勒达尔村》(Undredal)，2002 年，纸本水彩 (3 块)，138.4 厘米 ×91 厘米 (54½ 英寸 ×36 英寸)

326—327 《大漩涡，博多》(Maelstrom, Bodo)，2002 年，纸本水彩 (6 块)，91.5 厘米 ×183 厘米 (36 英寸 ×72 英寸)

328 《海湾，康美威》(Fjord, Kamøyvær)，2002 年，纸本水彩，30.8 厘米 ×41 厘米 (12 ⅛ 英寸 ×16 ⅛ 英寸)

329 《北角县附近的塔夫峡湾》(Tujfjorden from near Nordcapp)，2002 年，纸本水彩，30.8 厘米 ×41 厘米 (12 ⅛ 英寸 ×16 ⅛ 英寸)

330 《薄雾，斯托尔海姆》(Mist, Stalheim)，2002 年，纸本水彩，30.8 厘米 ×41 厘米 (12 ⅛ 英寸 ×16 ⅛ 英寸)

331 《山谷，斯托尔海姆 I》(The Valley, Stalheim I)，2002 年，纸本水彩 (2 块)，81.9 厘米 ×30.8 厘米 (32¼ 英寸 ×12 ⅛ 英寸)

332 上图《落日，中峡湾》(Setting Sun, Midfjord)，2003 年，纸本水彩，27.9 厘米 ×37.8 厘米 (11 英寸 ×14 ⅞ 英寸)

332 下图《中峡湾，桦树，第二版》(Midfjord, Birches, Second Version)，2003 年，纸本水彩，27.9 厘米 ×37.8 厘米 (11 英寸 ×14 ⅞ 英寸)

333 上图《房屋研究，中峡湾》(Study for House, Midfjord)，2003 年，纸本水彩，27.9 厘米 ×37.8 厘米 (11 英寸 ×14 ⅞ 英寸)

333 下图《云，西峡湾》(Cloud, Vestrefjord)，2003 年，纸本水彩，27.9 厘米 ×37.8 厘米 (11 英寸 ×14 ⅞ 英寸)

334—335 写生簿册页：《薄雾，冰岛》(Sketchbook page: 'Mist, Iceland')，2002 年，纸本墨水，10.8 厘米 ×15.2 厘米 (4¼ 英寸 ×6 英寸)

336—337 《众神瀑布，冰岛》(Godafoss, Iceland)，2002 年，纸本水彩 (8 幅)，91.4 厘米 ×243.8 厘米 (36 英寸 ×96 英寸)

338—339 《黑色冰川 1》(Black Glacier 1)，2002 年，纸本水彩 (2 块)，45.7 厘米 ×121.9 厘米 (18 英寸 ×48 英寸)

340—341 《樱花》(Cherry Blossom)，2002 年，纸本水彩与粉笔 (4 块)，91.4 厘米 ×121.9 厘米 (36 英寸 ×48 英寸)

342 《圣约翰的尖顶和树》(St John's Spire and Tree)，2002 年，纸本水彩，26.7 厘米 ×17.8 厘米 (10½ 英寸 ×7 英寸)

343 《雨天清晨，荷兰公园》(Rainy Morning, Holland Park)，2004 年，纸本水彩，105.4 厘米 ×74.9 厘米 (41½ 英寸 ×29½ 英寸)

344 《沃尔德路》(Wolds Way)，2003 年，纸本水彩，74.9 厘米 ×105.4 厘米 (29½ 英寸 ×41½ 英寸)

345 《灰色的太阳，东约克郡》(Grey Sun, East Yorkshire)，2003 年，纸本水彩，74.9 厘米 ×105.4 厘米 (29½ 英寸 ×41½ 英寸)

346 《北约克郡》(North Yorkshire)，1997 年，布面油画，121.9 厘米 ×152.4 厘米 (48 英寸 ×60 英寸)

347 《穿过沃尔德的路》(The Road Across The Wolds)，1997 年，布面油画，121.9 厘米 ×152.4 厘米 (48 英寸 ×60 英寸)

348 《爬上盖诺比山》(Going up Garrowby Hill)，2000 年，布面油画，213.3 厘米 ×152.4 厘米 (84 英寸 ×60 英寸)

349 《盖诺比山》(Garrowby Hill)，1998 年，布面油画，152.4 厘米 ×193 厘米 (60 英寸 ×76 英寸)，加外框 156.2 厘米 ×196.9 厘米 (61½ 英寸 ×77½ 英寸)

350—351 《穿过斯莱德米尔通往约克郡的道路》(The Road to York through Sledmere)，1997 年，布面油画，121.9 厘米 ×152.4 厘米 (48 英寸 ×60 英寸)

352 《通往拉斯顿的路，23 III 04》(The Road to Ruston, 23 III 04)，2004 年，纸本水彩，74.9 厘米 ×105.4 厘米 (29½ 英寸 ×41½ 英寸)

353 《教堂与街道，基勒姆》(Church and Street. Kilham)，2003 年，纸本水彩，74.9 厘米 ×105.4 厘米 (29½ 英寸 ×41½ 英寸)

354—355 写生簿册页：《春天，东约克郡》(Sketchbook page: 'East Yorkshire, Spring')，2004 年，纸本水彩，10.8 厘米 ×15.2 厘米 (4¼ 英寸 ×6 英寸)

356—357 《无题》(Untitled)，2004 年，纸本水彩 (2 块)，75.2 厘米 ×210.2 厘米 (29 ⅝ 英寸 ×82¾ 英寸)

358—359 《有水坑的好天气，2 IV 04》(Lovely Day with Puddles, 2 IV 04)，2004 年，纸本水彩，74.9 厘米 ×105.4 厘米 (29½ 英寸 ×41½ 英寸)

作品年表

作品首先按已知的时间顺序出现，然后按字母顺序排列。序号表示插图所在页码。尺寸首先是厘米单位，其后是英寸单位，依次为长、宽、高。

1960年

121 《今晚要成为女王》，1960 年，木板油画，121.9 厘米 ×91.4 厘米 (48 英寸 ×36 英寸)

1960—1961年

122 《娃娃男孩》，1960—1961 年，布面油画，12.9 厘米 ×99.1 厘米 (48 英寸 ×39 英寸)

1961年

89 《1961 年 3 月 24 日清晨跳的恰恰舞》，1961 年，布面油画，172.7 厘米 ×153.7 厘米 (68 英寸 ×60½ 英寸)

22—23 《半埃及风格的权贵盛大游行》，1961 年，布面油画，213.3 厘米 ×365.7 厘米 (84 英寸 ×144 英寸)

26 《错觉风格的茶包绘画》，1961 年，布面油画，198.1 厘米 ×76.2 厘米 (78 英寸 ×30 英寸)

123 《第四幅爱情绘画》，1961 年，布面油画与激光打印，91.4 厘米 ×71.4 厘米 (36 英寸 ×28 ⅛ 英寸)

27 《第二幅茶包绘画》，1961 年，布面油画，154.9 厘米 ×91.4 厘米 (61 英寸 ×36 英寸)

1962年

120 《柏林：一次纪念》，1962 年，布面油画，213.3 厘米 ×213.3 厘米 (84 英寸 ×84 英寸)

30 《殖民地长官》，1962 年，纸本蜡笔与墨水，34.9 厘米 ×26 厘米 (13¾ 英寸 ×10¼ 英寸)

278 《飞往意大利—瑞士景观》，1962 年，布面油画，182.8 厘米 ×182.8 厘米 (72 英寸 ×72 英寸)

34 《婚礼上的花》，1962 年，布面油画，61 厘米 ×30.5 厘米 (24 英寸 ×12 英寸)

88 《求助》，1962 年，布面油画、墨水与激光打印，31.8 厘米 ×24.8 厘米 (12½ 英寸 ×9¾ 英寸)

31 《博物馆里的男人 (或你在错误的电影里)》，1962 年，布面油画，152.4 厘米 ×152.4 厘米 (60 英寸 ×60 英寸)

87 《强调静止的图片》，1962 年，布面油画与激光打印，182.8 厘米 ×157.5 厘米 (72 英寸 ×62 英寸)

28 《残忍的大象》，1962 年，布面油画，121.9 厘米 ×152.4 厘米 (48 英寸 ×60 英寸)

24 《初婚（风格联姻 I）》，1962 年，布面油画，182.8 厘米 ×152.4 厘米 (72 英寸 ×60 英寸)

1963年

112 《正在淋浴的美国男孩》，1963 年，纸本铅笔与蜡笔，50.2 厘米 ×31.8 厘米 (19¾ 英寸 ×12½ 英寸)

45 《结局》，1963 年，布面油画，121.9 厘米 ×121.9 厘米 (48 英寸 ×48 英寸)

43 《立体主义的女人》，1963 年，纸本彩铅，31.8 厘米 ×25.4 厘米 (12½ 英寸 ×10 英寸)

119 《家庭场景，布罗德查尔克，威尔特郡》，1963 年，布面油画，182.8 厘米 ×182.8 厘米 (72 英寸 ×72 英寸)

118 《家庭场景，洛杉矶》，1963 年，布面油画，152.4 厘米 ×152.4 厘米 (60 英寸 ×60 英寸)

281 《吉萨大金字塔与底比斯的破碎头像》，1963 年，布面油画，182.8 厘米 ×182.8 厘米 (72 英寸 ×72 英寸)

41 《坐着喝茶的女人，被站着的伴侣侍候着》，1963 年，布面油画，198.1 厘米 ×213.3 厘米 (78 英寸 ×84 英寸)

280 《壳牌车库，卢克索》，1963 年，蜡笔，31.1 厘米 ×48.9

厘米（12¼ 英寸 ×19¼ 英寸）

40 《有人物和窗帘的静物》，1963 年，布面油画，198.1 厘米 ×213.3 厘米（78 英寸 ×84 英寸）

44 《催眠师》，1963 年，双色凹版蚀刻画，63.5 厘米 ×57.2 厘米（25 英寸 ×22½ 英寸）

25 《二婚》，1963 年，布面油画、水粉与拼贴，197.4 厘米 ×228.6 厘米（77¾ 英寸 ×90 英寸）

42 《歌手》，1963 年，纸本彩铅，31.8 厘米 ×25.4 厘米（12½ 英寸 ×10 英寸）

113 《两个正在洗澡的男人》，1963 年，布面油画，152.4 厘米 ×152.4 厘米（60 英寸 ×60 英寸）

1964年

299 《亚利桑那州》，1964 年，布面丙烯，152.4 厘米 ×152.4 厘米（60 英寸 ×60 英寸）

303 《建设潘兴广场，洛杉矶》，1964 年，布面丙烯，147.3 厘米 ×147.3 厘米（58 英寸 ×58 英寸）

126 《加州艺术收藏家》，1964 年，布面丙烯，152.4 厘米 ×182.8 厘米（60 英寸 ×72 英寸）

29 《多彩树木旁的立体主义男孩》，1964 年，布面丙烯，166.4 厘米 ×166.4 厘米（65½ 英寸 ×65½ 英寸）

298 《爱荷华州》，1964 年，布面丙烯，152.4 厘米 ×152.4 厘米（60 英寸 ×60 英寸）

302 《奥林匹克大道》，1964 年，布面丙烯，91.4 厘米 ×61 厘米（36 英寸 ×24 英寸）

46 《平常景色》，1964 年，布面丙烯，182.8 厘米 ×182.8 厘米（72 英寸 ×72 英寸）

115 《裸体男孩，洛杉矶》，1964 年，纸本铅笔和蜡笔，31.1 厘米 ×25.4 厘米（12¼ 英寸 ×10 英寸）

67 《好莱坞泳池图片》，1964 年，布面丙烯，91.4 厘米 ×121.9 厘米（36 英寸 ×48 英寸）

47 《演员》，1964 年，布面丙烯，166.4 厘米 ×166.4 厘米（65½ 英寸 ×65½ 英寸）

32 《树，1964》，1964 年，双联布面丙烯，72.4 厘米 ×76.2 厘米（28½ 英寸 ×30 英寸）

1965年

35 《写实风格静物画》，1965 年，布面丙烯，121.9 厘米 ×121.9 厘米（48 英寸 ×48 英寸）

66 《横穿大西洋》，1965 年，布面油画，182.8 厘米 ×182.8 厘米（72 英寸 ×72 英寸）

33 《立体主义的树》，1965 年，35.6 厘米 ×42.5 厘米（14 英寸 ×16¾ 英寸）

86 《倒入泳池的不同种类的水，圣莫尼卡》，1965 年，布面丙烯，182.8 厘米 ×152.4 厘米（72 英寸 ×60 英寸）

114 《洗澡的男人》，1965 年，布面丙烯，152.4 厘米 ×121.9 厘米（60 英寸 ×48 英寸）

15 左图《有精美银框的静物画》，1965 年，选自《好莱坞收藏》，七色版画，76.8 厘米 ×56.5 厘米（30¼ 英寸 ×22¼ 英寸）

15 右图《华丽金边框中的梅尔罗斯大街景色》，1965 年，选自《好莱坞收藏》，六色版画，76.8 厘米 ×56.5 厘米（30¼ 英寸 ×22¼ 英寸）

300—301 《落基山脉与疲倦的印第安人》，1965 年，布面丙烯，170.2 厘米 ×252.7 厘米（67 英寸 ×99½ 英寸）

74 《泳池中的两个男孩，好莱坞》，1965 年，布面丙烯，152.4 厘米 ×152.4 厘米（60 英寸 ×60 英寸）

1966年

48 上图《皇宫与阅兵场》，1966 年，纸本蜡笔，36.8 厘米 ×49.5 厘米（14½ 英寸 ×19½ 英寸）

48 下图《"愚比王"的幕布》，1966 年，纸本铅笔与蜡笔，38.1 厘米 ×50.8 厘米（15 英寸 ×20 英寸）

72 《日光浴者》，1966 年，布面丙烯，182.8 厘米 ×182.8 厘米（72 英寸 ×72 英寸）

1966—1967年

116 《在达尔村》，1966—1967 年，选自《C. P. 卡瓦菲斯的十四行诗插图》，蚀刻画，57.2 厘米 ×39.4 厘米（22½ 英寸 ×15½ 英寸）

117 《两个 23 或 24 岁的男孩》，1966—1967 年，选自《C. P. 卡瓦菲斯的十四行诗插图》，蚀刻画，80 厘米 ×57.2 厘米（31½ 英寸 ×22½ 英寸）

1967年

77 《更大的水花》，1967 年，布面丙烯，243.8 厘米 ×243.8 厘米（96 英寸 ×96 英寸）

85 《草坪洒水器》，1967 年，布面丙烯，121.9 厘米 ×121.9 厘米（48 英寸 ×48 英寸）

68—69 《四种不同的水》，1967 年，布面丙烯，36.8 厘米 ×105.4 厘米（14½ 英寸 ×41½ 英寸）

208 《位于曼彻斯特街的房间》（局部），1967 年，布面丙烯，243.8 厘米 ×243.8 厘米（96 英寸 ×96 英寸）

1968年

127 《美国收藏家（弗雷德·韦斯曼和马西娅·韦斯曼）》，1968 年，布面丙烯，213.3 厘米 ×304.8 厘米（84 英寸 ×120 英寸）

125 《克里斯托弗·伊舍伍德与唐·巴卡迪》，1968 年，布面丙烯，212 厘米 ×303.5 厘米（83½ 英寸 ×119½ 英寸）

128 《弗雷德里克·阿什顿和韦恩·斯利普》，1968 年，纸本墨水，43.2 厘米 ×35.6 厘米（17 英寸 ×14 英寸）

1969年

84 《即将泼向王子的冷水》，1969 年，选自《格林兄弟的六仙女故事插图》，黑白蚀刻画，62.2 厘米 ×45.1 厘米（24½ 英寸 ×17¾ 英寸）

37 《摆放物体的玻璃桌》，1969 年，五色版画，46.4 厘米 ×57.8 厘米（18¼ 英寸 ×22¾ 英寸）

176 《家》，1969 年，选自《格林兄弟的六仙女故事插图》，黑白蚀刻画，43.8 厘米 ×31.1 厘米（17¼ 英寸 ×12¼ 英寸）

96 《静物和电视》，1969 年，布面丙烯，121.9 厘米 ×152.4 厘米（48 英寸 ×60 英寸）

221 《鉴赏家》，1969 年，灰色平版画，80.6 厘米 ×57.8 厘米（31¾ 英寸 ×22¾ 英寸）

152 《花瓶和花》，1969 年，黑白蚀刻画，90.2 厘米 ×71.1 厘米（35½ 英寸 ×28 英寸）

1970年

10 《三把椅子与毕加索壁画局部》，1970 年，布面丙烯，121.9 厘米 ×152.4 厘米（48 英寸 ×60 英寸）

145 《维希矿泉水和"霍华德庄园"，卡雷纳克》，1970 年，纸本墨水，35.6 厘米 ×43.2 厘米（14 英寸 ×17 英寸）

1970—1971年

130—131 《克拉克和珀西夫妇》，1970—1971 年，布面丙烯，213.3 厘米 ×304.8 厘米（84 英寸 ×120 英寸）

1971年

285 《遮阳伞》，1971 年，布面丙烯，121.9 厘米 ×90.8 厘米（48 英寸 ×35¾ 英寸）

146 《椅子，马穆尼亚酒店，马拉喀什》，1971 年，纸本蜡笔，35.6 厘米 ×43.2 厘米（14 英寸 ×17 英寸）

6 《纸花和黑色墨水》，1971 年，平版画，99.7 厘米 ×95.3

厘米（39¼ 英寸 ×37½ 英寸）

13 《冈萨雷斯和影子》，1971 年，布面丙烯，121.9 厘米 ×91.4 厘米（48 英寸 ×36 英寸）

320 《京都》，1971 年，纸本彩铅，35.6 厘米 ×43.2 厘米（14 英寸 ×17 英寸）

234 《莫里斯·佩恩》，1971 年，蚀刻画，88.9 厘米 ×71.1 厘米（35 英寸 ×28 英寸）

71 《漂浮在泳池里的游泳圈》，1971 年，布面丙烯，91.4 厘米 ×121.9 厘米（36 英寸 ×48 英寸）

1972年

133 《在船上的尼克与亨利。很高兴到卡尔维，1972 年 7 月 18 日》，1972 年，纸本墨水，43.2 厘米 ×35.6 厘米（17 英寸 ×14 英寸）

147 《富士山和花》，1972 年，布面丙烯，152.4 厘米 ×121.9 厘米（60 英寸 ×48 英寸）

212 《彼得》，1972 年，纸本墨水，43.2 厘米 ×35.6 厘米（17 英寸 ×14 英寸）

286 《塞纳街》，1972 年，凹版蚀刻画，53.3 厘米 ×44.5 厘米（21 英寸 ×17½ 英寸）

263 《艺术家的父亲》，1972 年，纸本墨水，43.2 厘米 ×35.6 厘米（17 英寸 ×14 英寸）

284 《两张躺椅，卡尔维》，1972 年，布面丙烯，121.9 厘米 ×152.4 厘米（48 英寸 ×60 英寸）

1973年

216 《斜倚在黑色躺椅上的西莉亚，12 月，巴黎》，1973 年，纸本蜡笔，49.5 厘米 ×64.7 厘米（19½ 英寸 ×25½ 英寸）

214 《尤金·兰博博士》，1973 年，纸本蜡笔，58.4 厘米 ×50.8 厘米（23 英寸 ×20 英寸）

132 《亨利与莫，瑞雷尔尔山庄》，1973 年，纸本彩铅，35.6 厘米 ×43.2 厘米（14 英寸 ×17 英寸）

220 《莱拉·迪·诺比利，1973 年，巴黎》，1973 年，纸本蜡笔，66 厘米 ×50.8 厘米（26 英寸 ×20 英寸）

219 《曼·雷》，1973 年，纸本蜡笔，43.2 厘米 ×35.6 厘米（17 英寸 ×14 英寸）

144 《镜子，卡萨桑蒂尼》，1973 年，布面油画，152.4 厘米 ×121.9 厘米（60 英寸 ×48 英寸）

218 《让·莱热肖像》，1973 年，纸本铅笔，63.5 厘米 ×48.3 厘米（25 英寸 ×19 英寸）

82 《雨》，1973 年，选自《天气系列》，平版画与丝网印刷，99.1 厘米 ×77.5 厘米（39 英寸 ×30½ 英寸）

153 《静物与书》，1973 年，平版画，81.3 厘米 ×63.5 厘米（32 英寸 ×25 英寸）

137 《雨中的伊夫－马力》，1973 年，布面油画，121.9 厘米 ×152.4 厘米（48 英寸 ×60 英寸）

1973—1974年

11 《艺术家和模特》，1973—1974 年，蚀刻画，74.9 厘米 ×57.2 厘米（29½ 英寸 ×22½ 英寸）

1974年

287 《法式风格的逆光》，1974 年，蚀刻画，99.1 厘米 ×91.4 厘米（39 英寸 ×36 英寸）

136 《雨中的艺术桥》，1974 年，纸本蜡笔，43.2 厘米 ×35.6 厘米（17 英寸 ×14 英寸）

134—135 《雪莉·戈德法布与格里高利·马苏罗夫斯基》，1974 年，布面丙烯，114.3 厘米 ×213.3 厘米（45 英寸 ×84 英寸）

1975年

110 《伊夫－马力与马克，巴黎，1975 年 10 月》，1975 年，纸本

红色孔特粉笔, 64.7 厘米 ×49.5 厘米 (25½ 英寸 ×19½ 英寸)

49 《集会》, 1975 年, 选自《浪子生涯》, 墨水、圆珠笔与拼贴, 50.2 厘米 ×65.1 厘米 (19¾ 英寸 ×25⅝英寸)

36 《展示静物的虚构男人》, 1975 年, 布面油画, 91.4 厘米 ×72.4 厘米 (36 英寸 ×28½ 英寸)

8 《柯比 (仿荷加斯)。有用的知识》, 1975 年, 布面油画, 182.8 厘米 ×152.4 厘米 (72 英寸 ×60 英寸)

213 《尼基·雷》, 1975 年, 纸本蜡笔, 64.8 厘米 ×50.2 厘米 (25½ 英寸 ×19¾ 英寸)

1976年

304 《德朗普大街, 好莱坞》, 1976 年, 纸本蜡笔与铅笔, 43.2 厘米 ×35.6 厘米 (17 英寸 ×14 英寸)

215 《乔·麦克唐纳》, 1976 年, 布面油画, 106 厘米 ×74.9 厘米 (41¾ 英寸 ×29½ 英寸) © 大卫·霍克尼 / Gemini G.E.L. 工作室与出版社

255 《穿着彩色棒球夹克的拉里·斯坦顿》, 1976 年, 纸本彩铅, 43.2 厘米 ×35.6 厘米 (17 英寸 ×14 英寸)

70 《水的研究, 亚利桑那州, 凤凰城》, 1976 年, 纸本蜡笔, 45.7 厘米 ×49.8 厘米 (18 英寸 ×19 ⅝英寸)

1976—1977年

39 《我们自己的画》, 1976—1977 年, 选自《蓝吉他》, 蚀刻画, 45.7 厘米 ×52.7 厘米 (18 英寸 ×20¾ 英寸)

38 《小夜曲》, 1976—1977 年, 选自《蓝吉他》, 蚀刻画, 52 厘米 ×45.7 厘米 (20½ 英寸 ×18 英寸)

1977年

14 《观看屏风上的图画》, 1977 年, 布面油画, 187.9 厘米 ×187.9 厘米 (74 英寸 ×74 英寸)

2 《静物画, 孟买泰姬陵酒店》, 1977 年, 纸本蜡笔, 43.2 厘米 ×35.6 厘米 (17 英寸 ×14 英寸)

129 《乔治·劳森研究》, 1977 年, 布面油画, 101.6 厘米 ×127 厘米 (40 英寸 ×50 英寸)

1978年

262 《母亲, 1978 年 7 月 9 日》, 1978 年, 纸本墨水, 43.2 厘米 ×35.6 厘米 (17 英寸 ×14 英寸)

78—79 《一位伟大的跳水者 (纸本泳池系列 27) 》, 1978 年, 有色压制纸浆, 182.8 厘米 ×434.3 厘米 (72 英寸 ×171 英寸)

283 《埃及咖啡馆》, 1978 年, 布面油画, 91.4 厘米 ×121.9 厘米 (36 英寸 ×48 英寸)

223 《格雷戈里》, 1978 年, 纸本蜡笔, 43.2 厘米 ×35.6 厘米 (17 英寸 ×14 英寸)

228 《沉睡的亨利》, 1978 年, 纸本墨水, 35.6 厘米 ×43.2 厘米 (14 英寸 ×17 英寸)

75 《跳板的影子 (纸本泳池系列 13) 》, 1978 年, 有色压制纸浆, 182.8 厘米 ×217.1 厘米 (72 英寸 ×85½ 英寸)

73 《泳池研究 II》, 1978 年, 纸本墨水, 21.6 厘米 ×27.9 厘米 (8½ 英寸 ×11 英寸)

76 《午夜泳池 (纸本泳池系列 11) 》, 1978 年, 有色压制纸浆, 182.8 厘米 ×217.1 厘米 (72 英寸 ×85½ 英寸)

282 《金字塔前的斯芬克斯》, 1978 年, 纸本棕色墨水, 35.6 厘米 ×43.2 厘米 (14 英寸 ×17 英寸)

1979年

230 《抹口红的安》, 1979 年, 版画, 119.4 厘米 ×46.9 厘米 (47 英寸 ×18½ 英寸)

1980年

12 《立体主义酒吧》, 1980 年, 选自《提瑞西阿斯的乳房》, 纸

本蜡笔, 47.9 厘米 ×60.6 厘米 (18 ⅞英寸 ×23 ⅞英寸)

50 《提瑞西阿斯的乳房》, 1980 年, 布面油画, 91.4 厘米 ×121.9 厘米 (36 英寸 ×48 英寸)

98—99 《穆赫兰道: 通往工作室的道路》, 1980 年, 布面丙烯, 218.4 厘米 ×617.2 厘米 (86 英寸 ×243 英寸)

306 《尼科尔斯峡谷》, 1980 年, 布面丙烯, 213.3 厘米 ×152.4 厘米 (84 英寸 ×60 英寸)

52—53 《检阅拼贴》, 1980 年, 纸本水粉、墨水与蜡笔, 101.6 厘米 ×152.4 厘米 (40 英寸 ×60 英寸)

51 《夜辉中的拉威尔花园》, 1980 年, 选自《孩子与魔术》, 布面油画, 152.4 厘米 ×182.2 厘米 (60 英寸 ×72 英寸)

92—93 《两位舞者》, 1980 年, 布面油画, 121.9 厘米 ×182.8 厘米 (48 英寸 ×72 英寸)

94 《华尔兹》, 1980 年, 布面油画, 92.7 厘米 ×62.5 厘米 (36½ 英寸 ×24 ⅝英寸)

1981年

316—317 《插着红旗的船与履带车, 中国桂林》, 1981 年, 水彩薄涂与纸本粉笔, 35.6 厘米 ×43.2 厘米 (14 英寸 ×17 英寸)

318 《中国西安的酒店》(局部), 1981 年, 纸本水彩, 35.6 厘米 ×43.2 厘米 (14 英寸 ×17 英寸)

314—315 《中国桂林机场》, 1981 年, 纸本水彩, 35.6 厘米 ×43.2 厘米 (14 英寸 ×17 英寸)

319 《北京机场路, 中国》, 1981 年, 纸本粉笔, 86.4 厘米 ×35.6 厘米 (34 英寸 ×14 英寸)

1981—1982年

182—183 《好莱坞山的房子》, 1981—1982 年, 布面油彩、炭笔与拼贴, 152.4 厘米 ×304.8 厘米 (60 英寸 ×120 英寸)

1982年

227 《卡斯明, 1982 年 3 月 28 日于洛杉矶》, 1982 年, 合成宝丽来照片, 106 厘米 ×75.6 厘米 (41¾ 英寸 ×29¾ 英寸)

184 《成品相片的未完成作品, 1982 年 4 月 2 日》, 1982 年, 合成宝丽来照片, 62.9 厘米 ×76.2 厘米 (24¾ 英寸 ×30 英寸)

103 《黄色吉他静物, 洛杉矶, 1982 年 4 月 3 日》, 1982 年, 合成宝丽来照片, 72.4 厘米 ×44.5 厘米 (28½ 英寸 ×17½ 英寸)

83 《雨中的水池, 洛杉矶, 1982 年 4 月 12 日》, 1982 年, 合成宝丽来照片, 62.9 厘米 ×92.7 厘米 (24¾ 英寸 ×36½ 英寸)

80—81 《阳光下的泳池, 洛杉矶, 1982 年 4 月 13 日》, 1982 年, 合成宝丽来照片, 62.9 厘米 ×92 厘米 (24¾ 英寸 ×36¼ 英寸)

256 《戴维·格拉�… 1982 年 4 月 27 日, 星期二, 伦敦彭布罗克工作室》, 1982 年, 合成宝丽来照片, 131.4 厘米 ×66.7 厘米 (51¼ 英寸 ×26¼ 英寸)

265 《沉睡中的母亲, 1982 年 12 月于洛杉矶》, 1982 年, 摄影拼贴, 58.4 厘米 ×58.4 厘米 (23 英寸 ×23 英寸)

95 《溜冰者, 纽约, 1982 年 12 月》, 1982 年, 摄影拼贴, 59.7 厘米 ×43.2 厘米 (23½ 英寸 ×17 英寸)

185 《工作室, 好莱坞山的房子》, 1982 年, 纸本水粉, 129.5 厘米 ×167 厘米 (51 英寸 ×65¾ 英寸)

1983年

321 《1983 年 2 月 19 日, 坐在京都龙安寺禅意花园》, 1983 年, 摄影拼贴, 144.8 厘米 ×116.8 厘米 (57 英寸 ×46 英寸)

322 《在京都看下雪的格雷戈里, 1983 年 2 月 21 日》, 1983 年, 110.5 厘米 ×118.1 厘米 (43½ 英寸 ×46½ 英寸)

323 《鞋, 京都, 1983 年 2 月》, 1983 年, 摄影拼贴, 111.8 厘米 ×99.1 厘米 (44 英寸 ×39 英寸)

100—101 《在龙安寺禅意花园散步, 京都, 1983 年 2 月》, 1983 年, 摄影拼贴, 101.6 厘米 ×158.8 厘米 (40 英寸 ×62½ 英寸)

124 《正与鲍勃·霍尔曼谈话的克里斯托弗·伊舍伍德, 圣莫尼卡, 1983 年 3 月 14 日》(局部), 1983 年, 摄影拼贴, 110.5 厘米 ×163.8 厘米 (43½ 英寸 ×64½ 英寸)

272 《抽烟的自画像》, 1983 年, 纸本炭笔, 76.2 厘米 ×57.2 厘米 (30 英寸 ×22½ 英寸)

1984年

186—187 《阳台、泳池与客厅, 1984 年 2 月》, 1984 年, 布面油画, 91.4 厘米 ×152.4 厘米 (36 英寸 ×60 英寸)

97 《书桌, 1984 年 7 月 1 日》, 1984 年, 摄影拼贴, 121.9 厘米 ×116.8 厘米 (48 英寸 ×46 英寸)

222 《格雷戈里肖像》(局部), 1984 年, 平版画, 198.1 厘米 ×88.9 厘米 (78 英寸 ×35 英寸); 上图, 81.3 厘米 ×64.7 厘米 (32 英寸 ×25½ 英寸); 下图, 116.8 厘米 ×88.9 厘米 (46 英寸 ×35 英寸) © 大卫·霍克尼 / 泰勒图像有限公司

217 《把脚跷在椅子上的西莉亚》, 1984 年, 布面油画, 76.8 厘米 ×57.5 厘米 (30¼ 英寸 ×22 ⅝英寸)

233 《莫·麦克德莫特 II》, 1984 年, 纸本炭笔, 76.2 厘米 ×57.2 厘米 (30 英寸 ×22½ 英寸)

《彭布罗克工作室内场景》, 平版画, 手绘框架, 1984 年, 102.9 厘米 ×125.7 厘米 (40½ 英寸 ×49½ 英寸) © 大卫·霍克尼 / 泰勒图像有限公司

225 《第三幅皮埃尔·圣-让》, 1984 年, 纸本炭笔, 76.2 厘米 ×57.2 厘米 (30 英寸 ×22½ 英寸)

106 《两把彭布罗克工作室的椅子》, 1984 年, 平版画, 46.9 厘米 ×55.9 厘米 (18½ 英寸 ×22 英寸), © 大卫·霍克尼 / 泰勒图像有限公司

1985年

288—289 《弗斯滕伯格, 巴黎, 1985 年 8 月 7 日、8 日与 9 日》(局部), 1985 年, 摄影拼贴, 110.5 厘米 ×155.8 厘米 (43½ 英寸 ×61 ⅜英寸)

104 《椅子, 巴黎卢森堡公园, 1985 年 8 月 10 日》, 1985 年, 摄影拼贴, 80 厘米 ×64.8 厘米 (31½ 英寸 ×25½ 英寸)

266 《母亲 I, 1985 年 8 月于约克郡荒原》, 1985 年, 摄影拼贴, 46.9 厘米 ×33 厘米 (18½ 英寸 ×13 英寸)

296—297 《漫步酒店庭院, 阿卡特兰》, 1985 年, 双联布面油画, 182.8 厘米 ×609.6 厘米 (72 英寸 ×240 英寸)

102 《摄影之眼》(局部), 1985 年, 纸本毡头笔, 36.8 厘米 ×43.2 厘米 (14½ 英寸 ×17 英寸)

148 写生簿册页: 《马蒂斯与静物》, 1985 年, 纸本粉彩, 33 厘米 ×59.1 厘米 (13 英寸 ×23¼ 英寸)

188 《阳台与阴影》, 1985 年, 摄影拼贴, 48.3 厘米 ×71.1 厘米 (19 英寸 ×28 英寸)

105 左图《椅子》, 1985 年, 布面油画, 121.9 厘米 ×91.4 厘米 (48 英寸 ×36 英寸)

1986年

108—109 《梨花公路, 1986 年 4 月 11—18 日 (第二版) 》, 1986 年, 摄影拼贴, 181.6 厘米 ×271.8 厘米 (71½ 英寸 ×107 英寸), © 大卫·霍克尼, J·保罗·盖蒂博物馆收藏, 加利福尼亚州洛杉矶

107 《帕姆戴尔市 229 号房间, 加利福尼亚州, 1986 年 4 月 11 日》, 1986 年, 摄影拼贴, 101.9 厘米 ×85.7 厘米 (40 ⅛英寸 ×33¾ 英寸)

193 左图《红色的椅子, 1986 年 4 月》, 1986 年, 彩色复印机自制打印, 27.9 厘米 ×21.6 厘米 (11 英寸 ×8½ 英寸)

154 《舞动的花朵, 1986 年 5 月》, 1986 年, 彩色复印机自制打印, 55.9 厘米 ×64.7 厘米 (22 英寸 ×25½ 英寸) (6 块)

159 《三朵黑色花, 1986 年 5 月》, 1986 年, 彩色复印机自制打印, 27.9 厘米 ×21.6 厘米 (11 英寸 ×8½ 英寸)

158 《生长, 1986 年 6 月》, 1986 年, 彩色复印机自制打印,

27.9 厘米 ×21.6 厘米 (11 英寸 ×8½ 英寸)

307 《穆赫兰道, 1986 年 6 月》, 1986 年, 彩色复印机自制打印, 27.9 厘米 ×43.2 厘米 (11 英寸 ×17 英寸)

1987年

90—91 《布拉德福德弹跳, 1987 年 2 月》, 1987 年, 有色新闻纸, 38.1 厘米 ×55.9 厘米 (15 英寸 ×22 英寸)

155 《绿色和蓝色的植物》, 1987 年, 布面丙烯, 61 厘米 ×91.4 厘米 (24 英寸 ×36 英寸)

1988年

105 右图《高更的椅子》, 1988 年, 布面丙烯, 121.9 厘米 ×91.4 厘米 (48 英寸 ×36 英寸)

229 《亨利》, 1988 年, 布面油画, 61 厘米 ×61 厘米 (24 英寸 ×24 英寸)

226 《卡斯明》, 1988 年, 布面油画, 61 厘米 ×61 厘米 (24 英寸 ×24 英寸)

190—191 《大型室内场景, 洛杉矶, 1988 年》, 1988 年, 布面油彩、纸与墨水, 182.8 厘米 ×304.8 厘米 (72 英寸 ×120 英寸)

189 《有两条狗的蒙特卡姆室内场景》, 1988 年, 布面油画, 182.8 厘米 ×152.4 厘米 (72 英寸 ×60 英寸)

267 《我的母亲, 布里德灵顿》, 1988 年, 布面油画, 76.2 厘米 ×50.8 厘米 (30 英寸 ×20 英寸)

62—63 《马里布海》, 1988 年, 布面油画, 91.4 厘米 ×121.9 厘米 (36 英寸 ×48 英寸)

175 《二手椅子》, 1988 年, 布面油画, 61 厘米 ×91.4 厘米 (24 英寸 ×36 英寸)

105 中图《凡·高的椅子》, 1988 年, 布面丙烯, 121.9 厘米 ×91.4 厘米 (48 英寸 ×36 英寸)

1989年

180 《在马里布与斯坦利共进早餐, 1989 年 8 月 23 日》, 1989 年, 传真机图像拼贴, 整体 129.5 厘米 ×142.2 厘米 (51 英寸 ×56 英寸) (24 块)

181 《1989 年星期天在马里布的早餐》, 1989 年, 布面油画, 61 厘米 ×91.4 厘米 (24 英寸 ×36 英寸)

65 《几何波浪, 1989》, 1989 年, 纸本水粉、墨水、毡制马克笔、蜡笔, 21.6 厘米 ×27.9 厘米 (8½ 英寸 ×11 英寸)

240 右图《乔治·克拉克 II》, 1989 年, 布面油画, 41.9 厘米 ×26.7 厘米 (16½ 英寸 ×10½ 英寸)

305 《汉考克街, 西好莱坞 I》, 1989 年, 布面油画, 41.9 厘米 ×26.7 厘米 (16½ 英寸 ×10½ 英寸)

268 右图《让·霍克尼》, 1989 年, 布面油画, 41.9 厘米 ×26.7 厘米 (16½ 英寸 ×10½ 英寸)

240 左图《尼科斯·斯坦戈斯》, 1989 年, 布面油画, 41.9 厘米 ×26.7 厘米 (16½ 英寸 ×10½ 英寸)

64 《三股绿色波浪与橙色沙滩》, 1989 年, 布面油画, 26.7 厘米 ×41.9 厘米 (10½ 英寸 ×16½ 英寸)

161 《两朵粉色花》, 1989 年, 布面油画, 41.9 厘米 ×26.7 厘米 (16½ 英寸 ×10½ 英寸)

1990年

178 《白天的海滩别墅》, 1990 年, 布面油画, 61 厘米 ×91.4 厘米 (24 英寸 ×36 英寸)

179 《夜晚的海滩别墅》, 1990 年, 布面油画, 61 厘米 ×91.4 厘米 (24 英寸 ×36 英寸)

264 《母亲, 1990 年》, 1990 年, 布面油画, 91.4 厘米 ×61 厘米 (36 英寸 ×24 英寸)

308—309 《太平洋海岸公路与圣莫尼卡》, 1990 年, 布面油画, 198.1 厘米 ×304.8 厘米 (78 英寸 ×120 英寸)

1992年

54—55 《没有影子的女人, 第 3 幕, 第 4 场》(比例模型), 1992 年, 泡沫板、软棉纸、泡沫塑料、石膏布、水粉颜料, 215.9 厘米 ×229.9 厘米 ×121.9 厘米 (85 英寸 ×90½ 英寸 ×48 英寸)

57 《V.N. 系列画第四幅》, 1992 年, 布面油画, 61 厘米 ×61 厘米 (24 英寸 ×24 英寸)

56 《V.N. 系列画第十六幅》, 1992 年, 布面油画, 91.4 厘米 ×121.9 厘米 (36 英寸 ×48 英寸)

1993年

236 《乔纳森·西尔弗, 1993 年 12 月 30 日》, 1993 年, 纸本蜡笔, 76.8 厘米 ×57.2 厘米 (30¼ 英寸 ×22½ 英寸)

210 上图《黑人》, 1993 年, 纸本蜡笔, 57.2 厘米 ×76.8 厘米 (22½ 英寸 ×30¼ 英寸)

210 下图《斯坦利》, 1993 年, 纸本蜡笔, 57.2 厘米 ×76.8 厘米 (22½ 英寸 ×30¼ 英寸)

1994年

235 《莫里斯·佩恩, 1994 年 2 月 6 日》, 1994 年, 纸本蜡笔, 76.8 厘米 ×57.2 厘米 (30¼ 英寸 ×22½ 英寸)

232 《威尔伯·斯瓦茨博士, 1994 年 2 月 15 日》, 1994 年, 纸本蜡笔, 76.8 厘米 ×57.2 厘米 (30¼ 英寸 ×22½ 英寸)

268 左图《保罗·霍克尼与孙子蒂莫西, 1994 年 3 月 7 日》, 1994 年, 纸本粉笔, 76.8 厘米 ×57.2 厘米 (30¼ 英寸 ×22½ 英寸)

1995年

211 《狗的绘画系列 30》, 1995 年, 布面油画, 27.3 厘米 ×22.2 厘米 (10¾ 英寸 ×8¾ 英寸)

60—61 《布鲁日附近》, 1995 年, 双联布面油画, 53.3 厘米 ×152.4 厘米 (21 英寸 ×60 英寸)

163 《去皮柠檬切片》, 1995 年, 布面油画, 26 厘米 ×41.3 厘米 (10¼ 英寸 ×16¼ 英寸)

151 《维特瓶》, 1995 年, 布面油画, 54.6 厘米 ×33 厘米 (21½ 英寸 ×13 英寸)

1995—1996年

58—59 《威利来灯下的蜗牛空间, "作为表演的绘画"》, 1995—1996 年, 双联布面油画, 布面丙烯, 覆盖纤维板, 整体 213.9 厘米 ×670.5 厘米 ×342.9 厘米 (84¼ 英寸 ×264 英寸 ×135 英寸)

1996年

160 《花烛》, 1996 年, 布面油画, 81.3 厘米 ×65.4 厘米 (32 英寸 ×25¾ 英寸)

164 《仙人掌与柠檬》, 1996 年, 布面油画, 121.9 厘米 ×91.4 厘米 (48 英寸 ×36 英寸)

157 《绿色花瓶里的哈拉科利亚花》, 1996 年, 布面油画, 182.8 厘米 ×182.8 厘米 (72 英寸 ×72 英寸)

165 《瓶子里的向日葵、烟灰缸与橘子》, 1996 年, 布面油画, 64.7 厘米 ×54.3 厘米 (25½ 英寸 ×21⅜ 英寸)

1997年

237 《乔纳森·西尔弗, 1997 年 2 月 27 日》, 1997 年, 布面油画, 34.9 厘米 ×27.3 厘米 (13¾ 英寸 ×10¾ 英寸)

346 《北约克郡》, 1997 年, 布面油画, 121.9 厘米 ×152.4 厘米 (48 英寸 ×60 英寸)

347 《穿过沃尔德的路》, 1997 年, 布面油画, 121.9 厘米 ×152.4 厘米 (48 英寸 ×60 英寸)

350—351 《穿过斯莱德米尔通往约克郡的道路》, 1997 年, 布面油画, 121.9 厘米 ×152.4 厘米 (48 英寸 ×60 英寸)

1998年

310—311 《一个更大的峡谷》, 1998 年, 60 块布面油画, 整体 207 厘米 ×744 厘米 (81½ 英寸 ×293 英寸)

312—313 《一个更近的大峡谷》, 1998 年, 60 块布面油画, 整体 207 厘米 ×744 厘米 (81½ 英寸 ×293 英寸)

166 《阳台上的仙人掌》, 1998 年, 蚀刻画, 95.3 厘米 ×87.6 厘米 (37½ 英寸 ×34½ 英寸)

349 《盖诺比山》, 1998 年, 布面油画, 152.4 厘米 ×193 厘米 (60 英寸 ×76 英寸), 加外框 156.2 厘米 ×196.9 厘米 (61½ 英寸 ×77½ 英寸)

171 左图《椅子上的帽子》, 1998 年, 蚀刻画, 74.9 厘米 ×56.5 厘米 (29½ 英寸 ×22¼ 英寸)

156 下图《红色线性植物》, 1998 年, 蚀刻画, 77.5 厘米 ×91.4 厘米 (30½ 英寸 ×36 英寸)

1999年

239 左上图《埃德娜·奥布赖恩, 1999 年 5 月 28 日于伦敦》, 1999 年, 灰纸铅笔, 使用投影转画仪, 54.3 厘米 ×38.4 厘米 (21⅜英寸 ×15⅛英寸)

238 《诺曼·罗森塔尔, 1999 年 5 月 29 日于伦敦》, 1999 年, 灰纸铅笔与白粉笔, 使用投影转画仪, 49.5 厘米 ×39.4 厘米 (19½ 英寸 ×15½ 英寸)

274 上图《自画像, 1999 年 6 月 8 日于巴登巴登》, 1999 年, 灰色纸本铅笔, 28.6 厘米 ×38.1 厘米 (11¼ 英寸 ×15 英寸)

274 下图《自画像, 1999 年 6 月 9 日于巴登巴登》, 1999 年, 灰色纸本铅笔, 28.6 厘米 ×38.1 厘米 (11¼ 英寸 ×15 英寸)

275 《自画像, 1999 年 6 月 10 日于巴登巴登》, 1999 年, 灰色纸本铅笔, 38.1 厘米 ×28.6 厘米 (15 英寸 ×11¼ 英寸)

239 左下图《理查德·施密特, 1999 年 7 月 16 日于洛杉矶》, 1999 年, 灰纸铅笔, 使用投影转画仪, 56.5 厘米 ×37.5 厘米 (22¼ 英寸 ×14¾ 英寸)

239 右上图《唐·巴卡迪, 1999 年 7 月 28 日于洛杉矶》(局部), 1999 年, 灰纸铅笔与白粉笔, 使用投影转画仪, 56.5 厘米 ×38.1 厘米 (22¼ 英寸 ×15 英寸)

239 右下图《菲利普·霍克尼, 1999 年 10 月 7 日于澳大利亚》(局部), 1999 年, 灰纸铅笔, 使用投影转画仪, 50.8 厘米 ×38.1 厘米 (20 英寸 ×15 英寸)

1999—2000年

18—19 《12 幅风格统一的仿安格尔肖像画》, 1999—2000 年, 灰色纸上的铅笔、蜡笔、水粉, 运用投影转画仪, 整体 112.3 厘米 ×228.6 厘米 (44¼ 英寸 ×90 英寸)

2000年

224 《皮埃尔·圣-让, 2000 年 6 月于伦敦》, 2000 年, 布面油画, 55.2 厘米 ×33 厘米 (21¾ 英寸 ×13 英寸)

192 《我在洛杉矶的花园, 伦敦, 2000 年 7 月》, 2000 年, 布面油画, 91.4 厘米 ×121.9 厘米 (36 英寸 ×48 英寸)

197 《木本曼陀罗与多肉植物》, 2000 年, 纸本炭笔, 56.5 厘米 ×76.2 厘米 (22¼ 英寸 ×30 英寸)

198 《仙人掌与墙》, 2000 年, 纸本炭笔, 76.2 厘米 ×56.5 厘米 (30 英寸 ×22¼ 英寸)

348 《爬上盖诺比山》, 2000 年, 布面油画, 213.3 厘米 ×152.4 厘米 (84 英寸 ×60 英寸)

195 《宾馆的花园》, 2000 年, 布面油画, 152.4 厘米 ×193 厘米 (60 英寸 ×76 英寸)

199 《花园里的红色花盆》, 2000 年, 布面油画, 152.4 厘米 ×193 厘米 (60 英寸 ×76 英寸)

194 《大门》, 2000 年, 布面油画, 152.4 厘米 ×193 厘米 (60 英寸 ×76 英寸)

16—17 《长城》(局部), 2000 年, 18 块面板上的激光彩印, 20.3 厘米 ×182.8 厘米 (8 英尺 ×72 英尺)